Fritz Baumgart

S0-ABV-630

DuMont's kleines
Sachlexikon
der Architektur

DuMont Buchverlag Köln

Umschlagabbildungen Vorderseite:
Oben: Pantheon, Rom; Dom, Pisa
Unten: Zwinger, Dresden; Entwurf von Oberlicht

Umschlagabbildung Rückseite:
Oben: Zeustempel, Olympia; Dharmaradsha Rath, Mamallapuram
Unten: Torhalle, Lorsch; Kaufhaus 1524/32, Freiburg/Br.

CIP-Kurztitelaufnahme der Deutschen Bibliothek

Baumgart, Fritz
DuMont's kleines Sachlexikon der Architektur. –
Erstveröff., 2. Aufl. – Köln : DuMont, 1978.
　(DuMont-Kunst-Taschenbücher ; 44)
　ISBN 3-7701-0906-6

© 2. Auflage 1978
Erstveröffentlichung
© 1977 DuMont Buchverlag, Köln
Alle Rechte vorbehalten
Druck: Druckerei Gebr. Rasch & Co., Bramsche
Buchbinderische Verarbeitung: Boss Druck, Kleve

Printed in Germany　ISBN 3-7701-0906-6

dumont kunst-taschenbücher

Fritz Baumgart, geb. 1902, studierte Kunstgeschichte in München und Berlin, arbeitete bis 1934 an der Biblioteca Hertziana in Rom und war zuletzt, von 1949 bis 1968, Professor an der Technischen Universität Berlin. Bei DUMONT sind von ihm unter anderem erschienen: *DuMont's Kleine Kunstgeschichte, Renaissance und Kunst des Manierismus, Stilgeschichte der Architektur, Vom Klassizismus zur Romantik 1750–1832, Idealismus und Realismus 1830–1880* (DuMont Dokumente), *Oberitalien* (DuMont Kunst-Reiseführer).

Vorwort

Dieses Lexikon wendet sich weniger an Fachleute als an Laien, die Interesse an der Baukunst haben. Es sind die gebräuchlichsten Ausdrücke für Formen und Konstruktionen aufgenommen worden, die kurz, aber möglichst präzise erläutert wurden. – Die Stilbegriffe dagegen verlangten eine etwas eingehendere Behandlung, da sie abstrakt nicht zu erfassen sind, sondern nur in der Vielfalt ihrer jeweiligen Erscheinungsformen erlebt werden können, die sich innerhalb der oft lange dauernden Entwicklungen beträchtlich veränderten. Damit trat ein Moment der geschichtlichen Darstellung hinzu, die verständlicherweise nur in äußerster Konzentration erfolgen konnte, um gleichsam skizzenhaft einen ersten Ausblick auf die Historie zu vermitteln. Von den frühen Hochkulturen der vorchristlichen Jahrtausende wurden nur die ägyptische und die minoische einbezogen, da sie in Zusammenhang mit der griechischen Antike und damit mit der späteren Entwicklung der westlichen Welt stehen, die hier allein in Betracht gezogen worden ist. Als Rechtfertigung dafür kann gelten, daß die im Abendland entwickelte Baukunst seit dem 16. Jahrhundert für Mittel- und Südamerika und seit dem 18.–19. Jahrhundert mehr und mehr für alle Kontinente maßgebend wurde, so daß ein Verständnis der heutigen Situation der Weltarchitektur nur auf der Kenntnis ihrer Grundlagen in Europa möglich ist.

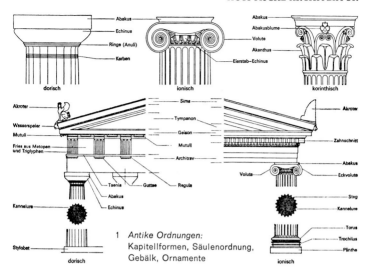

1 *Antike Ordnungen:*
Kapitellformen, Säulenordnung,
Gebälk, Ornamente

Abakus (griech.-lat. Tischplatte, Spielbrett) Meist quadratische Deckplatte des antiken Kapitells (Abb. 1 → Säulenordnungen).

Abhängling → Hängezapfen.

Abtei → Kloster.

Achse (lat. axis) Gedachte Gerade, die der Länge (Längsa.) oder Breite (Quera.) nach durch einen Bau oder Bauteil gelegt werden kann. Bei Symmetrie beider Seiten spricht man von Mittel- oder Symmetriea., bei mit der Mittela. übereinanderliegenden Fenstern mehrerer Geschosse von Fenstera.

Adyton (griech. das Unzugängliche) Das Allerheiligste der → Cella des griechischen Tempels mit dem Kultbild, nur Priestern und bestimmten Laien zugänglich.

Ädikula (lat. aedicula = Häuschen) Wandnische zum Aufstellen einer Statue, von zwei → Säulen oder → Pilastern gerahmt, die → Gebälk und → Giebel tragen. Die Bezeichnung wurde dann auch für Rahmungen von Türen, Fenstern und Wandnischen im allgemeinen gebraucht, die denselben Aufbau in Form einer Tempelfront zeigen.

Agora (griech. Markt) Markt- und Versammlungsplatz griechischer Städte, meist rechteckig und von → Säulenhallen (→ Stoa) umgeben.

Ägyptische Architektur Aus prähistorischen Vorstellungen und Gestaltungsformen entwickelte sich im Laufe des 4. vorchristlichen Jahrtausends die ägyptische Baukunst, die zu Anfang des 3. Jahrtausends in ihren wesentlichen Zügen ausgebildet war. Als Baumaterial dienten

7

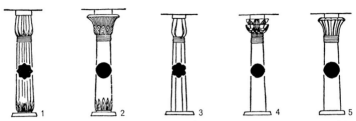

2 *Ägyptische Säulenformen:* Papyrussäulen (nach H. Koepf). 1 + 2 Papyrusbündel-
säule mit geschlossenem und offenem Kapitell – 3 + 4 Lotossäule mit geschlossenem und offenem Kapitell – 5 Palmensäule

zunächst ungebrannte Nilschlamm-
ziegel und pflanzliche Stoffe wie
Papyros, Lotos und Palmstämme,
deren Formen ab ca. 2600 in Stein
umgesetzt wurden (Abb. 2). Von
diesem Zeitpunkt an wurden Kalkstein, Granit und andere Gesteine
verwendet, die aber ausschließlich
Grab- und Tempelanlagen vorbehalten blieben. – Bestimmend für
die Ausbildung der Baukunst wurde
der Totenkult, der auf dem Glau-
ben an ein Weiterleben beruhte. Der
einbalsamierte Leichnam erhielt
außer seiner Grabkammer noch einen
Opferraum und je nach Bedeutung
und Reichtum weitere Räume, die
bis auf 30 vermehrt wurden, so daß
dem Toten ein umfangreiches
»Wohnhaus« zur Verfügung stand.
Derartige Anlagen kamen nur dem
Pharao, der Gott und Mensch zugleich war, seiner Familie und seiner
engsten Umgebung von Beratern
und Beamten zu. – Die ersten ober-
halb der Erde angeordneten Gräber
waren die → Mastabas, die die Form
eines flachen, langgestreckten Blockes
mit geböschten Wänden erhielten.
Es ist anzunehmen, daß sich die
→ Pyramide aus der Mastaba entwickelte. Die *Stufenpyramide des
Königs Zoser in Sakkara* (III. Dy-

nastie, 2780–2680) stellt die Über-
einanderstaffelung von sechs Mastabas dar, jetzt aber quadratischem
Grundriß angenähert und eine Höhe von 59 m erreichend (Abb. 3).
Die Pyramide enthielt nur die kleine Grabkammer, deren Lage von
außen nicht zu ermitteln ist und un-
zugänglich gemacht wurde, was
Ausplünderungen nicht verhinderte.
Das »Wohnhaus« des Toten befindet sich außerhalb der Pyramide
im Tempelbezirk. Wie planvoll
diese Totentempel waren, zeigt die
Tempelanlage der *Chephren-Pyramide in Gizeh* (Abb. 4) aus der IV.
Dynastie (2680–2565). Der Tal-
tempel im Osten enthält Vorhalle,
breitgelagerten ersten → Säulensaal und tiefgestreckten zweiten
Säulensaal, genau axial-symmetrisch
angeordnet. Ein 450 m langer, ge-
mauerter Damm verbindet den Tal-
tempel in beträchtlicher Achsenverschiebung mit dem größeren Grabtempel im Westen, der die gleiche,
nur reichere symmetrische Ordnung
zeigt. Die Pyramide selbst (Abb. 5)
zwischen der kleineren und jüngeren *Mykerinos-* und der etwas älteren größeren *Cheops-Pyramide* hat
eine Seitenlänge von 215 m und
eine Höhe von 143 m. An ihr sind

3 Sakkara: Stufenpyramide des Königs Zoser, III. Dynastie (2780–2680). Um 2750 v. Chr.

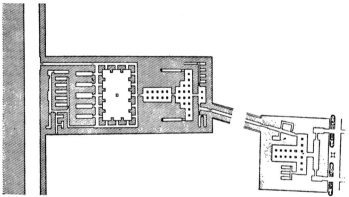

4 Gizeh: Chephren-Pyramide, Plan der Tempelanlagen, IV. Dynastie (2680–2565)

Reste der ursprünglichen Verkleidung mit sorgfältig geglätteten Steinplatten erhalten, wie sie alle Pyramiden hatten. Diese Form der Grabstätte überdauerte das Alte Reich (2778–2200) bis zum Mittleren Reich (2133–1786). Im Neuen Reich (1570–1085), dessen Schwerpunkt sich nach Mittelägypten verlagert hatte, wurden die Gräber in den Felsrändern des Niltals angelegt und mit ihren oft zahlreichen Räumen Hunderte von Metern tief in die Felsen getrieben. Im *Tal der Könige* gegenüber von Theben wurde 1922 das *Grab des Tutanchamum* von ca. 1350 v. Chr. entdeckt, das als einziges mit seinem unvorstellbar reichen Inhalt erhalten geblieben war.

9

5 Gizeh, Pyramiden: Mykerinos (um 2575 v. Chr.), Chephren (um 2600 v. Chr.) und Cheops (um 2650 v. Chr.)

Die den Toten errichteten »Wohnhäuser« gaben in den Grundzügen sicherlich die Wohnstätten der Lebenden wieder, von denen infolge ihrer Bauweise mit Lehmziegeln, pflanzlichen Stoffen und Holz so gut wie nichts erhalten ist. Die Wohnhütten der Bevölkerung sind gewiß von äußerster Primitivität gewesen, wohl denen in den Dörfern des heutigen Ägypten entsprechend. Das Schema des Hauses der Reichen bestand aus einem Eingangshof, den eine Vorhalle mit einer Reihe von Säulen abschloß, durch die man in den breiten säulengetragenen Eingangssaal gelangte. An diesen schloß sich der quadratische oder langgestreckte, ebenfalls säulengetragene Hauptraum an. Oft wird ein zweites Stockwerk vorhanden gewesen sein, das neben offenen → Loggien und Terrassen weitere Räume enthielt. Alles war außen und innen weiß verputzt,

das Innere mit Wand- und Deckenmalereien und farbigen Fußböden geschmückt. Die axial-symmetrische Folge der Höfe und Räume entsprach genau der Anlage der Totentempel.

Diese langgestreckte strenge Ordnung der Bauten bleibt bis zur Ptolemäer-Zeit (332–30 v. Chr.) gültig. Sie wird am großartigsten in den Tempeln des Neuen Reiches sichtbar. Der unter Amenophis III. um 1390 v. Chr. begonnene *Tempel des Amun-Mut-Chons in Theben-Luxor* erhielt eine ungewöhnliche Achsenverschiebung durch den von Ramses II. um 1290 vorgelegten Hof, der Rücksicht auf eine ältere kleine → Kapelle nehmen mußte (Abb. 6). Die Ansicht (Abb. 7) läßt im Vordergrund den niedrigeren Teil erkennen, der in enger, aber völlig regelmäßiger Verschachtelung das für das Volk unzugängliche Allerheiligste enthielt. Nach Nor-

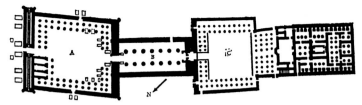

6 Theben-Luxor: Tempel des Amun-Mut-Chons, Plan. Um 1390 v. Chr. beg.

den vorgelagert ist die höhere, mit 32 gebündelten Papyrossäulen versehene gedeckte Vorhalle, an der zu ahnen ist, daß es sich bei derart mächtigen Sälen niemals um einen der Versammlung von Gläubigen dienenden Innenraum handeln konnte. Der hohe Säulengang dahinter verbindet den offenen Vorhof, bis wohin das Volk gelangen durfte, mit dem von Ramses II. zugefügten Hof, dessen mächtige, seitlich abgeschrägte Wände (→ Pylonen) mit begleitenden → Obelisken die Fassade der Anlage bildeten. Das Ganze ist ein steingewordener riesiger Prozessionsweg. Von ähnlicher Großartigkeit ist der in langer Bauzeit errichtete *Amun-Tempel in Theben-Karnak* und der gegenüber, auf dem westlichen Nilufer in *Deir el Bahari* liegende *Grabtempel der Königin Hatschepsut* (um 1500 v. Chr.). Die *nubischen Felsentempel von Abu Simbel* folgen derselben Ordnung, nur daß alles in den Felsen verlegt ist. – Die *ptolemäischen Tempel von Dendera, Edfu und Philae* aus dem 3. und 2. Jh. v. Chr. stellen in der Regelmäßigkeit ihrer Anordnung und der Verwendung aller seit Jahrtausenden entwickelten Elemente geradezu Musterbeispiele ägyptischer Baukunst dar. An ihnen kann

die Folge der Teile wie an einem Lehrschema abgelesen werden. Gleichzeitig wird an der Trockenheit aller Glieder die tödliche Erstarrung dieser Baukunst deutlich.

Akanthus Blatt einer im Mittelmeergebiet verbreiteten Distel, in stilisierter Form vor allem zum Schmuck des → korinthischen Kapitells und seiner römischen, byzantinischen und mittelalterlichen Ableitungen verwendet (→ Abakus, Abb. 1; → Säulenordnungen).

Akropolis (griech. Hochstadt) Hochgelegener Teil griechischer

7 Theben-Luxor: Tempel des Amun-Mut-Chons. Um 1390–1290 v. Chr.

Städte, ursprünglich Burg, später wichtigster Kultplatz. Am bekanntesten ist die *Akropolis von Athen.*

Akroterion (griech. höchste Spitze) Bekrönung von Giebelfirst und Giebelecken antiker → Tempel. Zunächst wurden bemalte Tonscheiben verwendet, dann plastische Gebilde von pflanzlichen Motiven, Fabeltieren, Figuren, Dreifüßen und Vasen (→ Abakus, Abb. 1; → Säulenordnungen).

Alkazar (arab. alqasr = Palast) Spanische Schloßanlagen, besonders arabisch-maurischen Ursprungs *(Toledo, Sevilla).*

Alkoven (arab. al kubbe = das Hohle) Meist als Schlafstelle benutzter fensterloser Nischenraum eines größeren Gemaches.

Altan (ital. altana) Im Gegensatz zum freitragenden Balkon unterbaute Terrasse an → Burgen (Söller) und auf Häusern, vor allem in Venedig.

Altar (lat. alta ara = erhöhte Opferstätte) In der Antike befand sich der Altar, ein mehr oder weniger reich verzierter Steinblock, außerhalb des → Tempels. Er konnte seit der hellenistischen Zeit architektonische Umrahmung erhalten *(Zeus-Altar von Pergamon* in Berlin/Ost). – Der christliche Altar steht als Ort des eucharistischen Mahles im Innern der Kirche. In frühchristlicher Zeit trat er in Tischform mit steinerner Platte (→ Mensa) und → Trägern (→ Stipes) oder in Blockform auf. Seit dem 6. Jh. konnte ein Überbau, das → Cibo-

rium, hinzukommen. Künstlerischer Schmuck war das → Antependium, später das → Altarretabel. Im 20. Jh. kehrte man zur Form des frühchristlichen Altars zurück.

Altarretabel (lat. retabulum = Rückwand) Seit dem 11. Jh. entwickelte sich der Altaraufsatz auf dem hinteren Teil der → Mensa aus Stein, → Stuck, Metall oder Holz. Daraus entstand der Flügelaltar mit festem Altarschrein und beweglichen Flügeln. In → Renaissance und → Barock wurde das Altarretabel auf einen → Sockel hinter die Mensa versetzt, auf die Flügel verzichtet und das Altarblatt mit architektonischem Aufbau umrahmt.

Ambo Erhöhte Lesepulte an den → Chorschranken (→ Cancelli) der frühchristlichen und frühmittelalterlichen → Basilika, an der Südseite für die Verlesung der Episteln, an der Nordseite für die Verlesung der Evangelien. Seit dem 14. Jh. wurden die Ambonen mit dem → Lettner vereinigt oder durch selbständige → Kanzeln ersetzt.

Amphiprostylos → Tempelformen.

Amphitheater (griech. amphi = um-herum) Römisches Bauwerk für öffentliche Veranstaltungen mit elliptischer Arena, um die die ansteigenden Sitzreihen ganz herumgeführt wurden. Es diente für Tierhetzen, Gladiatorenkämpfe und in manchen Fällen für Seeschlachten. Das größte Beispiel ist das *Colosseum in Rom* für 85 000 Zuschauer (Abb. 8).

Anfänger → Kämpfer.

8 Rom: Colosseum. 72–80

Anker Holzbalken zur Aufnahme von Zug- und Schubspannungen von → Bögen und → Gewölben. Bei → Kuppeln werden auch Ringanker aus Eisen verwendet.

Antefix (lat. vorne befestigt) Tonplatten zur Verkleidung der → Traufe von griechischen und etruskischen → Tempeln.

Antentempel → Tempelformen.

Antependium Verkleidung des Tischaltars der frühchristlichen und frühmittelalterlichen Kirchen, anfänglich mit einem von der → Mensa herabhängenden Stoff, dann mit einer um die → Stipes herumgeführten Hülle aus Holz oder Edelmetall. Mit der Entstehung des → Altarretabels im 11. Jh. verschwand das Antependium (→ Altar).

Apsis (griech. Rundung, Bogen) Meist halbrunder, mit Halbkuppel überwölbter nischenförmiger Raumteil, der in der römischen → Sakral- und → Profanarchitektur ausgebildet worden ist. Von der frühchristlichen → Basilika als Platz für die Geistlichen übernommen, hat sie seit dem 9. Jh., mit dem → Chor verschmolzen, an Selbständigkeit eingebüßt (→ Konche, → Exedra, → Tribuna).

Aquädukt (lat. aquae ductus = Wasserleitung) Römische Erfindung für die Zuführung von Wasser aus großen Entfernungen (bis zu 90 km) bei gleichmäßigem Gefälle. Zur Überquerung von Tälern mußten zuweilen mehrstöckige Bogenbrücken gebaut werden, die noch heute benutzbar sind (→ Brücke).

13

Arabeske Dekoration aus stilisiertem Ranken- und Blattwerk, als → Fries und Flächenfüllung verwendet. Erstes Auftreten in der Antike, unter islamischem Einfluß im 15. Jh. in Italien wieder aufgegriffen und im ganzen Abendland verbreitet (→ Groteske, → Maureske).

Architektur (lat. architectura) Baukunst. Das lateinische Wort ist abgeleitet vom griechischen architékton = Erzkünstler.

Architrav (griech.-lat. Hauptbalken) Waagrechter Steinbalken, der in der → griechischen Architektur auf → Säulen ruht, in der → römischen und abendländischen auch auf → Pfeilern und Bogenstellungen.

Archivolte Profilierung von Bogenläufen (→ Bogen), in romanischen und gotischen → Stufenportalen Fortsetzung der Gewändegliederung (→ Gewände), oft figürlich ausgebildet.

Arkade (lat. arcus = Bogen) Über → Säulen oder → Pfeilern errichtete Bogenstellung, seit der römischen Antike vielfach verwendet; → Kreuzgänge von → Klöstern, Bogen- oder Laubengänge an Plätzen und in Straßen, Höfe von Palästen u. a. (Abb. 9).

Armierung Eiseneinlagen im Stahlbeton (→ Beton, → Bewehrung).

Art Nouveau → Jugendstil.

Astragal (griech. astragalos = Sprungbein) Halbrundes Ornamentglied unterhalb des ionischen → Kapitells (→ Perlschnur); auch sonst in der → ionischen Ordnung verwendet (→ Kymation).

9 Florenz: Palazzo Medici-Riccardi. 1444 beg.

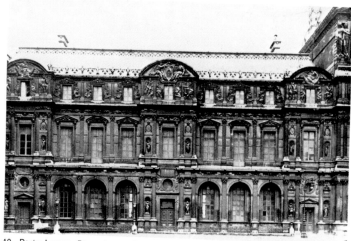

10 Paris: Louvre, Pierre Lescot-Bau, Südflügel. 1546–1563

Astwerk Aus wurzeligen Ästen gebildetes Schmuckmotiv der Spätgotik.

Atlant Nach der mythologischen Figur des Atlas, der das Himmelsgewölbe zu tragen hatte, benannte, meist überlebensgroße Steinfigur, die statt → Säulen ein → Gebälk oder → Gewölbe stützt. In der Antike und besonders häufig im → Barock benutzt. Weibliche Trägerfiguren sind die → Karyatiden.

Atrium Ursprünglich der hofartige Hauptraum des römischen Hauses mit Becken für das Regenwasser (→ Impluvium), später von → Säulen umstanden. Vorhof frühchristlicher und mittelalterlicher Kirchen mit Säulenumgängen (→ Paradies), nur noch selten erhalten.

Attika 1) Niedrige Mauer über dem abschließenden → Kranzgesims eines Gebäudes, oft um das → Dach zu verdecken, seit der → Renaissance auch als → Balustrade gebildet und mit Statuen besetzt. 2) Griechische Landschaft um Athen.

Attikageschoß Anstelle der → Attika im französischen Schloßbau seit dem 16. Jh. entwickeltes niedriges Geschoß über dem Hauptgesims (Abb. 10).

Attische Basis Attisch-ionische Form der → Basis, aus einer → Hohlkehle zwischen zwei Wülsten bestehend; in der mittelalterlichen Baukunst häufig verwendet und mit → Eckblatt versehen.

Auflager Bauteil, dem Balken, → Decken, → Bögen aufliegen (→ Kämpfer).

11 Hameln a. d. Weser: Rattenfängerhaus. 1602

Aufriß Maßgerechte zeichnerische Projektion ohne räumliche und plastische Angaben der Gliederung einer Fassade, eines Wandaufbaus usw.

Aula (lat. Hof) Innenhof des griechischen Hauses; in der römischen Kaiserzeit der Palast; im frühen Mittelalter → Pfalz und → Königshalle; seit der → Renaissance Festsaal von Schulen und Universitäten.

Ausgeschiedene Vierung Quadratischer Durchdringungsraum von → Langhaus und → Querschiff einer → Basilika, der durch vier gleich hohe → Schwibbögen abgetrennt wird, um 1000 entwickelt. Das Vierungsquadrat wird allmählich zur Maßeinheit der romanischen Kirchenanlage (→ Gebundenes System; → Romanik, Abb. 199; → Vierung).

Auskragung Vorspringen eines Geschosses.

Auslucht Durchfensterter, sich vom Erdboden erhebender Vorbau an niedersächsischen Renaissance-Häusern (Abb. 11).

Backstein Aus Ton oder Lehm geformter und gebrannter Ziegel (→ Klinker).

Backsteinbau Schon in der babylonischen Kunst im 6. Jh. v. Chr. angewandt, dann vor allem in der → römischen Architektur, meist mit Werkstein oder Putz verkleidet. Unverkleidet in der → frühchristlichen Architektur in Ravenna und Byzanz, von dorther seit dem 10.–11. Jh. in der Lombardei übernommen, dann in Norddeutschland und gleichzeitig in Südwestfrankreich; im 17.–18. Jh. in Holland, Norddeutschland und Piemont üblich; Wiederaufnahme im 19. und 20. Jh.

Backsteingotik Darunter wird vor allem die norddeutsche → Gotik verstanden, die mit → Formsteinen, → Baukeramik, → Staffelgiebeln u. a. eine besondere Formensprache entwickelte (Abb. 12).

Baldachin Ein von Stützen getragenes → Gewölbe über Thronsitz, → Altar, → Kanzel usw. und die Überdachung von Statuen an Kirchen.

Balustrade Ein aus Balustern, kleinen bauchigen Stützgliedern, gebildetes Geländer an Treppen,

12 Chorin: Zisterzienserkirche. 1273 bis nach 1334

Bandelwerk Aus verschlungenen Bändern gebildetes Ornament, das Ende des 17. Jh. in Frankreich entstand und sich im 18. Jh. überall verbreitete.

Bandrippe Flache rechteckige Bänder als → Rippen, frühes → Kreuzrippengewölbe.

Baptisterium (griech. baptisterion = Schwimmbecken) Überwiegend ein selbständiger → Zentralbau neben der Bischofskirche zum Zweck der Taufe, die ursprünglich durch volles Eintauchen vollzogen wurde, wozu ein Wasserbecken (→ Piscina) im Boden nötig war. Bis zum 13. Jh., als die Ganztaufe der Erwachsenen längst abgeschafft war, sind Baptisterien nur noch in Italien gebaut worden (Abb. 13).

13 Florenz: Baptisterium S. Giovanni. Um 1060–1150

Balkonen und → Dächern, vorwiegend in → Renaissance und → Barock und vielfach im 19. Jh. gebräuchlich.

14 Rom: Michelangelo, St. Peter. 1546–1590

15 Rom: Vignola (eig. Giacomo Barozzi), Il Gesù. 1568–1583

Barock Der Name stammt wahrscheinlich vom portugiesischen »barocco« ab, womit eine schiefe gewundene Perle bezeichnet wurde. Gegen Ende des 18. Jh. taucht er als abwertender Ausdruck für die Kunst des 17. und 18. Jh. auf, die jetzt als schwülstig, verdorben und verlogen empfunden wurde, und behielt diese Bedeutung bis in die 2. Hälfte des 19. Jh. Erst dann wurde der oder das Barock zu einem wertfreien Stilbegriff für die Kunst von etwa 1600 bis um 1760, eingeteilt in Früh-, Hoch- und Spätbarock (Rokoko).

Diese Kunstform ist um 1600 in Italien entstanden und aus der → Renaissance entwickelt worden, mit der sie alle Bauelemente teilt, aber reicher, plastischer, bewegter und in größerer Zahl verwendet. Auch die Räume werden bewegter und können zu komplizierten Raumdurchdringungen führen, ohne jedoch ihre übersichtliche Einheit zu verlieren. Entsprechend erfahren die Baukörper durch vielfältige Vor- und Rücksprünge, Wand-

krümmungen und andere Mittel bewegtere Gestaltung, so daß der Eindruck eines lebendigen Organismus gesteigert wird, wobei eine starke Mitwirkung von Plastik und Malerei stattfindet. Maßgebende Vorbilder waren die *Peterskirche* von Michelangelo (Abb. 14) und *Il Gesù* (Abb. 15) von Vignola (eig. Giacomo Barozzi, 1507–1573), daneben die Bauten von Palladio, deren im wesentlichen statische Auffassung zu voller Dynamik gesteigert wurde. Bei der Rezeption des Barock durch die außeritalienischen Länder blieb für den Kirchenbau Italien bestimmend, für den Palastbau wurde es im Laufe des 17. Jh. Frankreich. Den letzten Höhepunkt erreichte diese Kunst in Deutschland in der 1. Hälfte des 18. Jh.

Für die barocke Kirche spielten der reine → Zentralbau und die Verschmelzung von Lang- und Zentralbau die führende Rolle. Mit *S. Carlino alle Quattro Fontane in Rom* von Francesco Borromini (1599–1667) ist der entschiedenste Schritt ins Hochbarock vollzogen. 1638 wurde die Kirche begonnen

16 Rom: Borromini, S. Carlino alle Quattro Fontane. 1638–1663

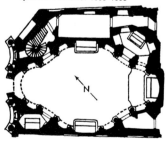

17 Rom: Borromini, S. Carlino alle Quattro Fontane. 1638–1663

(Abb. 16), 1662–1663 kam die Fassade hinzu (Abb. 17). Vergleicht man diese mit der des *Gesù*, stellt man fest, wie alles in wellenartige Bewegung geraten ist. Die Fassade ist Ausdruck dessen, was im Innern vor sich geht, das durch ununterbrochen wechselnde Bewegungen die Wirkung eines sich ständig wandelnden Raumkörpers entstehen läßt. Borromini hat 1653 bis 1657 entscheidend an dem Zentralbau von *S. Agnese in Rom* mitgewirkt, deren Fassade (Abb. 18) schwach zurückschwingt, gleichsam den Raum der Piazza Navona an sich heranziehend. Die großartigste Platz-, Raum- und Architekturgestaltung schuf Gian Lorenzo Bernini (1598–1680) mit dem 1656 begonnenen *Petersplatz in Rom* (Abb. 19), der nicht nur als überwältigender Empfangsplatz für den → Dom diente, sondern auch da-

zu, die etwas schwerfällige Wirkung der Kirchenfassade aufzuheben. Ein anderes Beispiel triumphalen Empfangs für eine ganze Stadt bietet die 1631–1656 entstandene Kirche *S. Maria della Salute in Venedig* (Abb. 20) von Baldassare Longhena (1592–1682), fast an der Spitze zwischen Canale Grande und Canale della Giudecca gelegen und für den vom Meer Ankommenden mit der Dogana zusammen ein festliches Wahrzeichen für die Einfahrt in den Canale Grande bietend.

In Frankreich ist einer der Höhepunkte hochbarocken Kirchenbaus der *Invalidendom (Saint-Louis des Invalides)*, 1680–1691 von Jules Hardouin-Mansart (1646–1708) *in Paris* (Abb. 21). Das dem Quadrat eingeschriebene → griechische Kreuz mit überkuppelter → Vierung geht auf *St. Peter* zurück. Nur sind nicht

18 Rom: S. Agnese. 1652–1672

19 Rom: Gian Lorenzo Bernini, Petersplatz. 1656 beg.

allein → Proportionen und Gliederungen verschieden, auch der Charakter des Zentralbaus ist ein anderer geworden. Er hat nichts von der gewaltsamen Spannung Michelangelos, aber auch wenig von der dynamischen Beweglichkeit des italienischen Barock. Er wirkt in der geometrischen und mathematischen Gesetzmäßigkeit seiner Berechnung erstarrt. Diese aber ist vollendet und erzielt den Ausdruck einer majestätischen und strengen Würde, wie sie Ludwig XIV. entsprach. – Gleichzeitig entstand in *London* die *St. Paul's Cathedral* (1675–1710) von Christopher Wren (1632 bis 1723), ebenfalls mit *St. Peter* wetteifernd (Abb. 22). Die Verbindung von Zentral- und Langbau ist vollkommen. An Plastizität und Beweglichkeit steht auch dieses Werk weit hinter italienischen Barock-Bauten zurück, in der Körperhaftigkeit wird es selbst von der französischen Architektur übertroffen, mit der es dagegen die klassisch-ruhige Bildung der Glieder gemeinsam hat. Die Kuppelkonstruktion ist der des *Invalidendomes* ähnlich.

Der erhebliche Unterschied der französischen und englischen Bau-

gesinnung von der italienischen im letzten Drittel des 17. Jh. geht aus den Werken von Guarino Guarini (1624–1683) in *Turin* hervor, die in der Nachfolge Borrominis stehen, dessen Bauten an mathematischer Präzision und an Phantastik aber noch übertreffen. → Grundriß und → Aufriß von *S. Lorenzo* von 1666–1687 (Abb. 23) ergeben einen ungewöhnlichen Reichtum der Möglichkeiten von Raum- und

20 Venedig: Longhena, S. Maria della Salute. 1631–1682

21 Paris: Hardouin-Mansart, Invalidendom. 1680–1691

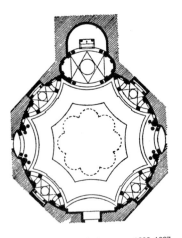

23 Turin: Guarini, S. Lorenzo. 1666–1687

Formkonstellationen, die in jeweils verschiedenen Kombinationen
auftreten können. – Die Bauphantasie Borrominis und Guarinis fand

22 London: Wren, St. Paul's Cathedral.
1675–1710

ihre produktivste Nachfolge seit
dem Beginn des 18. Jh. in Österreich, Böhmen, Süddeutschland und
der deutschen Schweiz, wo mit geradezu explosiver Gewalt ein ver-
paßtes Jahrhundert der Entwicklung nachgeholt wurde. Unter den
zahlreichen Beispielen sei nur auf
die 1743–1772 errichtete *Wallfahrtskirche Vierzehnheiligen* von
Balthasar Neumann (1687–1753)
hingewiesen (Abb. 24, 25). Die dem
Grundriß nach dreischiffige Emporenbasilika wird durch die ovale
Ausweitung des →Mittelschiffs um
den Wallfahrtsaltar gewissermaßen
in einen Zentralbau verwandelt.
Diese Grundform kehrt in kleineren Längs- und Querovalen überall wieder und versetzt den ganzen
Innenraum in festliche Schwingung. Ornamentik, Farbigkeit und
Lichtfülle erhöhen die Wirkung,
der in der außerdeutschen Architektur des 18. Jh. nichts Vergleich-

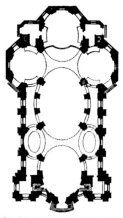

24 Vierzehnheiligen: Neumann, Wallfahrtskirche. 1743–1772

26 Wien: Fischer von Erlach, Karl-Borromäus-Kirche (Karlskirche). 1715–1723

bares an die Seite zu stellen ist. – Neben der festlich-rauschhaften Entwicklung der süddeutschen Sakralarchitektur gibt es eine stren-

25 Vierzehnheiligen: Neumann, Wallfahrtskirche. 1743–1772

gere und monumentalere Richtung, die durch Johann Bernhard Fischer von Erlach (1656–1723) vertreten wird. In seinem letzten Kirchenbau, der *Karlskirche in Wien* (1715–1723), zog er die Summe aller seiner Erfahrungen aus Antike, → Renaissance und Barock. Zwei → Triumphsäulen nach antikem Vorbild stehen vor der breitgelagerten Fassade mit Tempelfront, über der die Tambourkuppel des Zentralbaus aufragt (Abb. 26).

Einen Übergang von der Sakral- zur Profanarchitektur stellen die riesigen Klosteranlagen des 18. Jh. dar. Eine der großartigsten Schöpfungen dieser Art ist das *Benediktinerstift Melk* in Österreich, das 1702 von Jakob Prandtauer (1660 bis 1726) begonnen und 1738 von Josef Munggenast vollendet wurde (Abb. 27). Die stark plastisch gegliederte Komposition findet in der 64 m hohen Tambourkuppel

23

27 Melk: Benediktinerstift. Beg. v. Prandtauer, voll. v. Munggenast. 1702–1738

festliche Beweglichkeit und eine neuartige Ausnutzung der landschaftlichen Lage. In letzterer Hinsicht ist die gleichzeitig 1717–1731 entstandene *Superga bei Turin* von Filippo Juvara (1678–1736) zu vergleichen (Abb. 28). In allem anderen aber zeigt sich der Unterschied zwischen dem jetzt erstarrenden italienischen Barock, der sich französischer raison nähert, und dem sich gerade voll entfaltenden Barock in Deutschland.

Der barocke Palastbau beschritt denselben Weg wie die Sakralarchitektur, nur daß der Phantasie hier aus praktischen Gründen gewisse Grenzen gesetzt waren. Führend wurde Frankreich, das schon im 16. Jh. anstelle der geschlossenen Blockform des italienischen Palastes die offene Dreiflügelform mit dem → Cour d'honneur entwickelt hatte, verbunden mit einer pavillonartigen Durchgliederung des gesamten Baukörpers. In reich-

ihre vertikale Krönung. Zur Monumentalität und Plastizität des Gesamtorganismus gesellen sich

28 Turin: Juvara, Superga. 1717–1731

29 Levau, Schloß Vaux-le-Vicomte bei
   Paris. 1656–1661

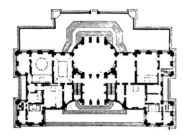

30 Levau, Schloß Vaux-le-Vicomte bei
   Paris. Garten: Lenôtre. 1656–1661

ster Entfaltung erscheint dieses Prinzip in *Vaux-le-Vicomte* (1656 bis 1661) von Louis Levau (1612 bis 1670), dem als Gartengestalter André Lenôtre (1613 bis 1700) zur Seite stand (Abb. 29, 30). Das Ganze stellt sich als ein System von einzelnen in Tiefe und Höhe gestaffelten → Pavillons dar, die eng miteinander verbunden sind und als Gliederbildungen eines kraftausstrahlenden Zentrums wirken, das von der Mittelachse des quadratischen Vestibüls und des ovalen Gartensaales gebildet wird. Dieser vollkommene Organismus steht frei im Raum. Nichts Wildgewachsenes durfte ihm nahekom-

31 Versailles: Schloß. 17.–19. Jh.

32 Turin: Guarini, Palazzo Carigagno. 1679–1692

men, sondern nur geformte Natur. Vom Schloß gehen alle Wege aus, von ihm die Gesetze, nach denen sich die Pflanzen zu ordnen haben; es gleicht dem absoluten Herrscher, wie er durch Ludwig XIV. verkörpert wurde. – Dieser ließ ab 1661 in *Versailles* einen kleinen Dreiflügelbau von 1623 ummanteln und die Anlage fortlaufend erweitern, was bis ins 19. Jh. hinein fortgesetzt wurde (Abb. 31). Was so entstand, hat etwas Megalomanisches und eine starre Würde des Majestätischen, wie sie auch dem *Invalidendom* zukam. Die schmiegsame Beweglichkeit des hochbarocken *Vaux-le-Vicomte* ist verschwunden. – Wie diese gleichzeitig in Italien noch einmal einen Höhepunkt erreichte, kann der *Palazzo Carigagno* (1679–1692) *in Turin* von Guarino Guarini verdeutlichen (Abb. 32).

Versailles wirkte wie ein Fanal. Fürsten, Adel und Bischöfe wollten im 18. Jh. etwas Vergleichbares haben. 1705 entwarf Sir John Vanbrugh (1664–1726) den Plan von *Blenheim Palace* in England, der

33 Oxfordshire: Vanbrugh, Blenheim-Palace. 1705–1724

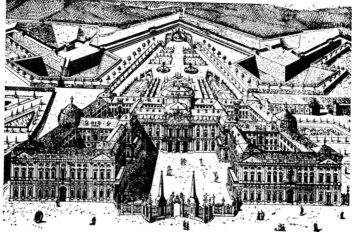

34 Würzburg: Neumann, Residenz. 1719–1744. Stich von 1760

1724 von Nicholas Hawksmoor vollendet wurde (Abb. 33). Der reiche vielgliedrige Komplex aber wirkt mechanisch, der Baukörper ist unruhig zerrissen und zerfällt in lauter Einzelteile, die baukastenartig zusammengestellt sind. Was diesem englischen Barock fehlt, ist die sinnenhaft empfundene organische Körperlichkeit der festländischen Architektur, wie sie etwa in der 1719–1744 entstandenen fürstbischöflichen *Residenz in Würzburg* (Abb. 34) von Balthasar Neumann zum Ausdruck kommt. Noch beweglicher und stärker dem französischen Pavillonsystem verpflichtet ist das *Obere Belvedere in Wien* von 1721–1723 (Abb. 35) von Lucas von Hildebrandt (1668–1745), dem großen Gegenspieler von Fischer von Erlach in Österreich. Das Festliche, zum Rausch bewegtester Körperhaftigkeit gesteigert, bestimmt die einzigartige Anlage des *Zwingers in Dresden* (Abb. 36) von 1711–1722 von Matthäus Daniel Pöppelmann (1662–1736). In den bewegten Leibern der Figuren von Balthasar Permoser, im blü-

35 Wien: Hildebrandt, Oberes Belvedere. 1721–1723

36 Dresden: Pöppelmann/Permoser,
Zwinger, Wallpavillon. 1711–1722

henden Wachstum der Pflanzen wird der lebendige Organismus der Architektur buchstäblich »verkörpert«.

Führend wurde Frankreich im 18. Jh. auch auf dem Gebiet der Wohnkultur, die nach der repräsentativen Epoche Ludwigs XIV. größere Intimität und Wohnlichkeit verlangte. Sie prägten sich in kleinen Landschlössern und Stadthäu-

37 Paris: Hôtel Amelot. Nach 1710

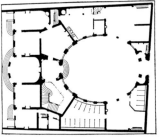

sern aus. Kurz nach 1710 begann Germain Boffrand (1667–1754) das *Hôtel Amelot in Paris,* das in mustergültiger Zweckmäßigkeit und Schönheit die räumlich beschränkten Gegebenheiten ausnutzte und einen Organismus von vollendeter Harmonie hervorbrachte (Abb. 37, 38). Noch verleihen Kolossalpilaster der geschwungenen Hoffassade eine gewisse Würde, die aber nicht mehr bedrückend ist. Alle Formen sind zart und flach geworden, der Mauerkörper verliert seine Dichte, kultivierteste Eleganz beherrscht das Ganze. Das gilt ebenso für das *Petit Trianon* (1762–1764) im Park von *Versailles* von Jacques-Ange Gabriel (1698–1782), das häufig als früher Vertreter des → Klassizismus bezeichnet wird (Abb. 39). Alles stammt aber aus der Renaissance-Barock-Tradition, die allerdings so zart und blutlos geworden ist, daß sie jegliche Dynamik verloren hat.

Daß die Baugesinnung des Barock in der Erbschaft der Renaissance sich auch auf größere Zusammenhänge des Städtebaus erstrecken mußte, versteht sich von selbst. Da Neugründungen von Städten äußerst selten waren, konnte sich der organische Ordnungswille meist nur in einzelnen Straßenzügen oder Komplexen und vor allem in der Schaffung regelmäßiger Plätze äußern. Mit dem *Petersplatz* von Bernini ist bereits ein Beispiel aufgetreten. Ein weiteres, das zugleich den anderen französischen Charakter zeigt, kann mit der *Place Vendôme in Paris* (1698) von Hardouin-Mansart gegeben werden (Abb. 40).

38 Paris: Hôtel Amelot, Hof. Nach 1710

Giebelrisalite (→ Risalit) betonen Seitenmitten und abgeschrägte Ekken, so daß ein gegliederter Organismus entsteht, der dieselbe majestätische Würde wie alle Anlagen der Zeit Ludwigs XIV. ausstrahlt.

Basilika (griech. Königshalle) In der → römischen Architektur mehrschiffige überdeckte Halle für Audienz-, Gerichts- und Marktzwecke. Das → Mittelschiff konnte höher sein und im → Obergaden Fenster enthalten. Gelegentlich wurden → Emporen und → Apsiden zugefügt. – Vom Christentum zur ungewölbten mehrschiffigen Kirche mit hohem Mittelschiff mit → Satteldach und niedrigeren Seitenschiffen mit → Pultdächern entwickelt und schon im 4. Jh. gelegentlich mit einem → Querschiff vor der fast stets im Osten gelegenen → Apsis versehen. Im 9. Jh. entstand das Chorquadrat vor der Apsis und dadurch die → Vierung

39 Versailles: Gabriel, Petit Trianon. 1762–1764

40 Paris: Hardouin-Mansart, Place Vendôme. 1698

als Durchdringungsraum von → Lang- und Querhaus (→ Ausgeschiedene Vierung). Seit dem 11. Jh. erfuhr die bis dahin mit verbrettertem oder offenem Dachstuhl versehene B. eine Überwölbung, die mit wenigen Ausnahmen die Regel wurde. Bei aller Bereicherung blieb die längsgerichtete basilikale Grundform bis ins 19. Jh. der beherrschende Bautyp der christlichen Kirche (Abb. 41).

Basis (griech. Schritt, Fuß) Ausladende Form, die zwischen Fußplatte (→ Plinthe) und Schaft einer → Säule oder eines → Pfeilers vermittelt (→ Attische Basis).

Bastion Vom Befestigungsring aus vorgetriebene spitzwinklige Anlage zur besseren flankierenden Verteidigung, seit der → Renaissance entwickelt (→ Festung).

Bauhaus Unter diesem Namen wurde 1919 in Weimar unter der Leitung des Architekten Walter Gropius (1883–1969) eine Schule gegründet, in der Architekten, bildende Künstler und Handwerker zu einer Zusammenarbeit erzogen werden sollten, die Kunst und Technik vereinigte. 1924 mußte die Anstalt nach Dessau übersiedeln, wo Gropius 1925–1926 die Gebäude für sie errichtete. 1928 übernahm Hannes Meyer (1889–1954) die Leitung, 1930 Mies van der Rohe (1886–1969), der nach der Schließung 1932 eine Fortführung in Berlin versuchte, die 1933 verboten wurde. Außer den international berühmt gewordenen Architekten waren bedeutende Maler wie Kandinsky (1866–1944), Klee (1879 bis 1940), Feininger (1871–1956) und Schlemmer (1888–1943) am B. tätig. Die Wirkung der B.-Ideen in Deutschland vor 1933 und nach 1945 war groß, sie setzte sich in Amerika durch die Emigration von Gropius, Mies u. a. fort und ist bis heute in der ganzen Welt nicht erloschen (→ Internationaler Stil, → Jugendstil).

Bauhütte Mittelalterlicher Verband aller an einem großen Kirchenbau tätigen Handwerker, unabhängig von den städtischen Zünften und mit eigener Hüttenordnung, die streng geheim war. Nach dem Ende der Errichtung gotischer → Kathedralen im 16. Jh. blieben nur wenige Bauhütten, z. T. bis ins 19. Jh., bestehen.

Baunaht Stelle des Zusammentreffens verschieden alter Teile eines Bauwerks.

Beinhaus → Karner.

Beischlag Terrassenvorbau mit Freitreppe zur Straße an Bürger-

41 Rom: S. Sabina. 422–432

häusern seit der → Renaissance, besonders im Ostseeraum.

Belfried (franz. Beffroi) Glockenturm an Rathäusern und anderen Kommunalbauten oder auch freistehend in flandrischen Städten des Mittelalters und der → Renaissance.

Berapp → Rauhputz.

Bergfried (franz. Donjon) → Burg.

Belvedere (ital. schöner Ausblick) Architektonisch gestalteter Aussichtspunkt in Parks und an Palästen; auch ganze Schloßanlagen (*Belvedere in Wien*, → Barock, Abb. 35).

Beschlagwerk Symmetrisches bandartiges Ornament der niederländischen und deutschen →Renaissance nach 1570, ähnelt aufgenieteten Metallformen.

Beton Aus Sand, Kies und Zement mit Wasser gemischtes flüssiges Material, das in Schalen gegossen wird. Schon den Römern als → Opus incertum bekannt. Durch → Armierung entstehen Stahl- und Spannb., die auf größere Zug- und Druckkräfte berechnet sind; im 20. Jh. zum wichtigsten Baumaterial geworden.

Béton brut → Sichtbeton.

Bettelordenskirche Kirchen der Franziskaner und Dominikaner, vor allem im 13. und 14. Jh., stets in Städten errichtet. Meist ohne →

42 Florenz: S. Croce. 1294/95–1442

Querschiff und immer ohne Türme und auf die notwendigste
Struktur des Raumes beschränkt,
der besonders der Predigt zu dienen hatte. Sie erscheinen als ein-
fache → Saalkirchen, → Basiliken,
→ Pseudobasiliken und → Hallen,
oft ungewölbt (Abb. 42).

Bewehrung → Armierung.

Binder Vor allem die Tragbalken
der → Dachkonstruktion; ferner
der im Backsteinbau so eingesetzte
Stein, daß nur dessen Schmalseite
sichtbar bleibt.

Binderverband → Mauerverband.

Birnstab Schmuckmotiv der Gotik; → Dienst oder → Rippe mit
birnenförmigem Querschnitt.

Blatt Ausgesparte spitzbogige Blatt-
form im gotischen → Maßwerk
(Dreiblatt, Vierblatt usw.).

Blendarkade Gliederung einer
Außen- oder Innenwand durch
nicht begehbare → Arkaden. Der
Einzelteil heißt → Blendbogen
(→ Baptisterium, Abb. 13).

Blendbogen Einzelteil einer →
Blendarkade.

Blendfassade Eine Fassade, die
nicht dem hinter ihr liegenden Baukörper entspricht und oft größer
als dieser ist; zumeist aus ästhetischen Gründen einer Vereinheitlichung der Schauseite entstanden.

Blendfenster Ein auf einer geschlossenen Wand vorgetäuschtes
Fenster, oft aus Gründen der Symmetrie an → Blendfassaden angebracht.

Blendmaßwerk Auf einer Wand
angebrachtes → Maßwerk, das oft
auch für Holzvertäfelungen gebraucht wird.

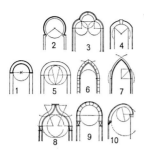

43 *Bogenformen:*

1 Rund- oder Halbkreisbogen
2 Hufeisenbogen
3 Kleeblatt- oder Dreipaßbogen
4 Segmentbogen
5 Korbbogen
6 normaler Spitzbogen
7 Lanzettbogen
8 Kielbogen oder Eselsrücken
9 gestelzter Bogen
10 einhüftiger oder steigender Bogen

Blockbau Holzbauten, deren Wände aus waagrecht übereinandergeschichteten Holzstämmen (roh oder behauen) gebildet werden, wobei die Enden eingekerbt sind, so daß die rechtwinklig aneinanderstoßenden Wände verfugt werden.

Blockverband → Mauerverband.

Bogen Gewölbte Überspannung von Öffnungen im Steinbau. Die Bogensteine können keilförmig oder rechteckig sein, sie beginnen mit dem → Anfänger, der auch → Kämpferstein sein kann, und haben im Scheitel den → Schlußstein. Die Vorderseite heißt Stirnseite, die Unterseite → Laibung. – Hauptsächliche Bogenformen: → Gestelzter B., → Gurtb., → Hufeisenb., → Kielb. (→ Eselsrücken), → Kleeblattb., → Korbb., → Lanzettb., → Rundb., Strebeb. (→ Strebewerk), → Scheidb., → Schildb., → Schwibb., → Segmentb., → Spitzb., → Tudorb., → Vorhangb. (Abb. 43).

Bogenfeld → Tympanon.

Bogenfries Eine Reihe kleiner → Blendbögen, als Gliederung der Außenflächen romanischer Bauten gebräuchlich (vgl. → Fries).

Böhmische Kappe → Kuppel.

Bollwerk → Festung.

Bosse An der Sichtseite roh behauener Werkstein (→ Rustika); auch grob zugeschlagener Werksteinblock für eine bildhauerische Arbeit.

Brauttür An der Nordseite mittelalterlicher Kirchen angelegtes → Portal mit Vorhalle, in der Trauungen stattfanden. Der Portalschmuck kann sich darauf beziehen.

Bruchstein → unbearbeiteter Stein.

Bruchsteinmauerwerk (Feldsteinmauerwerk) Aus unbearbeiteten Steinen (Bruchsteinen) oder Findlingen unregelmäßig zusammengesetzte Mauer.

Brücke Bauwerk zur Überquerung von Gewässern, Tälern, Straßen, Schienenwegen. Der Verwendung nach unterscheidet man: 1. → Aquädukt, 2. → Viadukt, 3. Eisenbahnb., 4. Fußgängerb.; dem Material nach: 1. Ponton- oder Bootsb., 2. Holzb., 3. Steinb., 4. Eisenb., seit dem 18. Jh., 5. Stahlb., seit dem 19. Jh., 6. Beton- und Stahlbetonb., 7. Leichtmetallb.; der Konstruktion nach: 1. Balkenb. mit → Sprengwerk, 2. Bogenb., 3. Hängeb., bei der das Tragwerk an hohen Masten (→ Pylonen) aufgehängt ist, 4. selbsttragende B. mit Tragwerk aus eisernen (stählernen) Fachwerk- oder Gitterträgern, 5. bewegliche B. (Zug-, Hub- und Drehb.).

Brüstung An Terrassen, Balkonen, Fenstern und anderen hochgelegenen Öffnungen angelegte, ursprünglich brusthohe Mauer, die durch → Gesimse und → Reliefs geschmückt sein kann (→ Balustrade).

Brutalismus Aus → Sichtbeton (béton brut) errichtete Gebäude, bei denen oft auch die Installationen sichtbar gelassen werden. Um 1950 von dem schweiz.-franz. Architekten Le Corbusier eingeführt.

Buckelquader Eine → Bosse mit → Randschlag.

Bukranion (griech. Rinderschädel) In der → griechischen und → römischen Architektur als Dekoration verwendeter Stierschädel, mit Ranken und Bändern geschmückt. Durch Girlanden verbunden, entsteht der Bukranienfries, der in der → Renaissance wieder auftaucht.

Bündelpfeiler Um einen → Pfeiler gelegte dünne Dreiviertelsäulen

(→ Dienste), die oft den Kern ganz verdecken können, in der Spätromanik (→ Romanik) und → Gotik gebräuchlich.

Bungalow Aus dem Indischen abgeleitete Bezeichnung für ein einstöckiges Haus mit Veranda, wie es im 19. Jh. von den Engländern in Asien verwendet wurde; jetzt viel gebrauchte Hausform.

Burg Bewohnte Wehranlage auf einem Berggipfel mit Rundsicht (Höhenb.) oder in der Ebene (Niederb.), wenn von Wasser umgeben → Wasserb. Die B. besteht aus einer starken Ringmauer, vor der sich ein mit Wasser gefüllter Graben (Halsgraben) befinden kann. Die an gefährdeten Stellen verstärkte Mauer heißt Schildmauer. Zusätzlicher Schutz erfolgte durch Türme oder durch mehrere Mauerringe mit dazwischen befindlichem → Zwinger. Die Tore waren durch Zugbrücke und → Fallgatter geschützt. Die Verteidigung erfolgte vom hochgelegenen → Wehrgang an der Mauer aus, der sich nach außen in →Zinnen öffnete. Die Wohnbauten lehnten sich an die Ringmauer an. Unter ihnen kam nur dem → Palas eine architektonisch-künstlerische Ausbildung als Steinbau zu. In ihm lagen der Rittersaal und die → Kemenate. Meist mit dem Palas verbunden war die → Kapelle, oft als → Doppelkapelle ausgebildet. Als letzte Zuflucht diente der meist frei im Hof stehende verteidigungsfähige → Bergfried, der im französischen Donjon auch Wohnräume enthielt. – Eine besondere Form bildete die

→ Ordensburg. – Mit der Entwicklung der Feuerwaffen seit dem 15. Jh. hörte die Bedeutung der B. auf, die von der → Festung abgelöst wurde.

Bürgerbauten Öffentliche Gebäude der Städte wie Rathaus, Gewandhaus, Zeughaus, Hospital, Ballhaus, Hochzeitshaus u. a. und die Wohnhäuser der Bürger.

Busung (Domikalgewölbe) Ein → Gewölbe, bei dem der Scheitelpunkt der → Kappen höher liegt als der der → Gurt- und → Schildbögen.

Butzenscheibe Kleine, meist grünliche Glasscheibe mit mittlerer Verdickung (Butzen), im 15. und 16. Jh. zu Fenstern zusammengesetzt; Nachahmungen im 19. Jh.

Byzantinische Architektur 330 machte Kaiser Konstantin der Gro-

ße Byzanz (Konstantinopel) zur Hauptstadt des römischen Reiches, 395 fand die Teilung in ein west- und oströmisches Reich statt, 476 endete das weströmische Reich. Unter Kaiser Justinian I. (525–565) erlebte das oströmische Reich seine größte Ausdehnung und Machtentfaltung, mit der Einnahme Konstantinopels durch die Türken 1453 endete es. – Wann man den Beginn der byzantinischen Baukunst anzusetzen hat, ist umstritten. Meist werden die Bauten des 6. Jh. bereits zu ihr gerechnet, die indes den letzten Höhepunkt der aus der Spätantike erwachsenen → frühchristlichen Baukunst darstellen und deshalb hier unter diesem Stichwort erwähnt werden. Die echte byzantinische Architektur der folgenden Jahrhunderte geht zwar von der oströmischen des 6. Jh. aus, unterscheidet sich von ihr aber wesentlich durch die meist winzigen Größenverhältnisse und die außer-

44 Griechenland: Kloster Hosios Lukas. 1. H. 11. Jh.

45 Kiew: Sophien-Kathedrale. 1017–1037

ordentlich schwache Belichtung. Auch wenn es sich um etwas größere Anlagen handelt, gibt es nie eine Raumgestaltung, die nur im entferntesten mit der *Hagia Sophia in Konstantinopel* (vgl. → Frühchristliche Architektur, Abb. 72, 73) oder der *Demetrius-Basilika in Saloniki* (vgl. → Frühchristliche Architektur, Abb. 64, 65) zu vergleichen wäre. Das verändert den Charakter derart entscheidend, daß man von einem völlig eigenen Stil, der mit dem frühchristlichen nichts mehr zu tun hat, erst vom 7. bis 8. Jh. ab sprechen kann. Der bevorzugte Typus wurde der → Zentralbau der → Kreuzkuppelkirche, der die verschiedensten Kombinationen eingehen konnte, so daß es nicht an Vielfältigkeit der Erscheinungen fehlt. Reine → Basiliken verschwinden fast ganz. Eine der größeren Anlagen, aber auch sie von geringen Ausmaßen im Vergleich zu frühchristlichen Bauten, ist die Kirchengruppe im *Kloster von Hosios Lukas* in Griechenland

aus der 1. Hälfte des 11. Jh. (Abb. 44). Die größere Kirche des hl. Lukas von Stiris enthält eine flache Tambourkuppel (→ Kuppel) über dem Hauptraum und eine kleinere über dem östlichen Kreuzarm, die Marienkirche nur einen überwölbten hohen Tambour. Das Innere ist durch hochstrebende rechteckige → Pfeiler und fast unübersichtliche Durchblicke in winzige Eckräume gekennzeichnet. Das Äußere mit seinen Mauern aus Werkstein, den Rahmungen und Gliederungen aus → Backstein und den vielen säulenunterteilten schmalen Bogenfenstern bietet einen unruhigen malerischen Anblick, wie er vielen, auch den winzigsten Bauten, zukommt. Ihr hoher Wert beruht auf dem zumeist reichen Mosaik- und Freskenschmuck des Innern.

Mit diesem einen Beispiel wird man selbstverständlich der byzantinischen Architektur, die sich über weite Gebiete des Balkan ausdehnte, nicht gerecht, denn die russische Baukunst entwickelte sich vollkommen auf den Grundlagen der byzantinischen und muß deswegen zu ihr gerechnet werden. Sie setzte im 11. Jh. mit den ersten großen Zentren von Kiew und Nowgorod ein. Ausgangspunkt wurde die 1018–1037 erbaute *Sophien-Kathedrale von Kiew* (Abb. 45, 46). Ihr folgte 1056–1062 nach vereinfachtem Plan die *Sophien-Kathedrale von Nowgorod*. → Griechisches Kreuz und Fünfschiffigkeit sind miteinander verbunden. Entscheidend sind die kleinen steilen Raumzellen; die größte Einheit, die mittlere Kreuzvierung

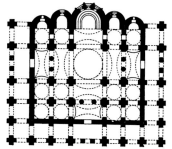

46 Kiew: Sophien-Kathedrale. 1017–1037

(→ Vierung), mißt kaum 6 m im Quadrat. Diese unübersichtliche kleinzellige Raumzersplitterung entspricht genau der der byzantinischen Baukunst und steht wie diese im größten Gegensatz zur frühchristlichen schwebenden Weiträumigkeit (→ Frühchristliche Architektur) und zur festen Großräumigkeit der inzwischen entstandenen romanischen Architektur (→ Romanik). Sie bleibt bis zum Ende der russischen Entwicklung im 18. Jh. bestimmend. Diese Grundform, ins Phantastische abgewandelt, zeigt auch die von 1550–1560 von Postnik und Barma errichtete *Pokrov-Kathedrale* (»Vassily«) auf dem Roten Platz *in Moskau*.

Caldarium Warmbad der römischen → Thermen.

Calefactorium (lat. calefactare = erwärmen) Wärmeraum des mittelalterlichen → Klosters.

Campanile (ital. campana = Glocke) Freistehender Glockenturm italienischer Kirchen seit dem 9. Jh. bis zur → Renaissance (Abb. 47).

Cancelli Gitter oder Schranken, die in der frühchristlichen → Basilika den Gemeinderaum vom Raum der Priester abtrennten. Mit ihnen waren die → Ambonen verbunden.

Cardo Nordsüdliche Hauptstraße römischer Städte und Lager.

Castrum Römisches befestigtes Truppenlager in rechteckiger Form mit den Hauptstraßen → Cardo und → Decumanus, oft noch im → Grundriß mittelalterlicher Städte, besonders Italiens, erkennbar.

Cella (lat. Kammer) Fensterloser Hauptraum des antiken → Tempels mit Götterbild, von den Griechen → Naos genannt.

Cenaculum (lat. cena = das Mahl) Speisezimmer des römischen Wohnhauses.

47 Florenz: Dom und Campanile. 1296 bis 1446

Certosa (ital.) → Kartause.

Chalet Schweizer Senn- oder Berghütte aus Holz. Heute werden Landhäuser jeglicher Art in diesem Stil so bezeichnet.

Chinoiserie Europäische Nachbildungen chinesischer Kunst seit dem 17. Jh., besonders verbreitet im 18. Jh. (→ Barock). In der Baukunst Übernahme von → Pagoden mit vorschwingenden Dächern in phantasievollen Formen, als Gartenpavillons benutzt (Abb. 48).

48 Potsdam: Chinesischer Pavillon. Erbaut 1755 nach Entwurf v. J. G. Büring

Chor Seit karolingischer Zeit (→ Karolingische Architektur) der Raum zwischen → Apsis und → Querschiff, das oft mit zum Chor gerechnet wurde, ebenso wie ein Teil des → Langhauses. Durch → Chorschranken, → Lettner oder → Chorgitter vom Gemeinderaum getrennt und ihm gegenüber um mehrere Stufen, bei Vorhandensein von → Krypten oft bedeutend erhöht.

Chorgitter Seit dem 17. Jh. häufig anstelle des → Lettners zur Trennung von → Chor und Gemeinderaum angebracht.

Chorschranken Meist aus Stein, trennen den → Chor vom Gemeinderaum und vom → Chorumgang.

Chorumgang Ringförmiger Umgang um den Chorraum durch Verlängerung der Seitenschiffe, auch verdoppelt vorkommend, oft mit radial angeordneten → Kapellen versehen (→ Kapellenkranz; vgl. → Gotik, Abb. 80).

Churriguerismus Nach den Brüdern Churriguera (17.–18. Jh.) gebildeter Begriff für einen üppigen Spätbarock in Spanien (Abb. 49) und Lateinamerika, vor allem in Mexiko.

Ciborium Baldachinartiger steinerner Aufbau über → Altären. Auch Bezeichnung des Deckelkelches für die Aufbewahrung der geweihten Hostien.

Cinquecento (ital. 500) Italienische Bezeichnung für die Kunst des 16. Jh.

Circus (Zirkus) Lange römische Bahn für Wagen- und Pferderennen, später auch für Tierhetzen und Gladiatorenkämpfe benutzte Form, von ansteigenden Sitzreihen umgeben. – In der englischen Baukunst des 18. Jh. kreisförmige Häuserreihe um einen Platz.

Coemeterium (lat. Schlafkammer) Römische Begräbnisstätte in → Katakomben, später allgemein Friedhof.

Colonial Style (Kolonialstil) In Nordamerika zwischen der Gründungszeit und dem Ende des 18. Jh. ausgebildeter Baustil nach abgewandelten Vorbildern der europäischen → Renaissance und des → Klassizismus, vor allem englischer und holländischer Prägung, oft auf Holzbauten übertragen.

Columbarium (lat. Taubenschlag) Spätrömische Grabanlage mit vielen kleinen Nischen für Aschenurnen.

Columna Rostrata (lat. geschnäbelte Säule) Römische Gedenksäule mit Schiffsschnäbeln eroberter Schiffe, zur Feier von Seesiegen errichtet.

Confessio (lat. Bekenntnis) Märtyrergrab unter dem Hauptaltar (→ Krypta).

Corps de logis Das Hauptgebäude zwischen → Pavillons und Seitenflügeln des barocken Schlosses (→ Barock).

Cour d'honneur → Ehrenhof.

Crescent (engl. Halbmond) Halbkreisförmige Häuserreihe, die sich zur Landschaft öffnet; in der englischen Baukunst des 18. Jh. angewandt.

Curtain Wall (engl. Vorhangfassade) Einem → Skelettbau vorgehängte nichttragende Wand aus Plattenelementen verschiedenen Materials, z. B. Glas, Aluminium, Stahl, Kunststoffe (→ Internationaler Stil, Abb. 127).

Cubiculum Schlafraum des römischen Wohnhauses.

Dach Oberer Abschluß von Gebäuden zum Schutz gegen Witterung, in Material und Form von klimatischen Bedingungen, Baustoffen und Stilen abhängig (→ Dachdeckung, → Dachformen).

Dachdeckung Die auf die → Dachkonstruktion gelegte witterungsfeste Deckung. Möglichkeiten: 1. Steinplattend., 2. mit Steinen beschwerte Holzbretterd., 3. Stroh- und Riedd., 4. Schindeld. aus dünnen Brettchen, 5. Schieferd., 6. Biberschwanzd. aus Flachziegeln, die mit einer Nase auf der Unterseite in die Dachlatten gehängt werden, 7. Pfannend. aus S-förmigen Ziegeln, 8. Klosterd. aus halbzylindrischen Ziegeln, die wechselnd mit der Höhlung nach unten und oben

49 Granada: Kartause. 1724–1764

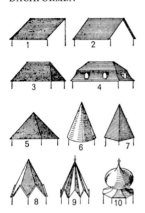

50 *Dachformen:*
1 Pultdach
2 Satteldach (Giebeldach)
3 Walmdach
4 Mansardendach
5 Pyramidendach (Zeltdach)
6 Kegeldach
7 Pyramidendach als Turmdach
8 Helmdach
9 Faltdach
10 Welsche Haube (Zwiebelhaube)

ineinandergreifen (»Mönch und Nonne«), 9. Falzziegeld. aus Ziegeln mit mehreren Falzen, die ineinandergreifen. – Ferner gibt es Deckungen mit Kupfer und in der Neuzeit mit Aluminium, Kunststoffen, Blechen und Teerpappe.

Dachformen 1. Pultd.: eine schräge Dachfläche, z. B. die Seitenschiffdächer von → Basiliken, 2. Satteld. (Giebeld.): aus zwei schrägen Flächen und zwei →Giebeln bestehend, häufigste Dachform, 3. Walmd.: mit schrägen Flächen an allen Seiten. Beim Krüppelwalmd. werden nur die Giebelspitzen, beim Fußwalmd. nur die Giebelfüße abgewalmt, 4. Mansardd.: nach dem französischen Baumeister François Hardouin-Mansart (1598–1666) benannte Dachform mit geknickten Flächen, deren untere steiler als die obere verläuft, wodurch sich Wohnraum im Dachstuhl (Mansarde) schaffen ließ, 5. Pyramidend. (Zeltd.): aus vier gleichen Dreiecksflächen gebildet, 6. Kegeld.: Turmd. in Form eines Kegels, 7. Py-

ramidend. als Turmd., 8. Helmd. (Rhombend.): von vier niedrigen Giebeln steigen die → Firste der Satteldächer zu einer Spitze auf, 9. Faltd.: dreieckige Flächen führen nach innen gefaltet zur Spitze eines Turmes, 10. Welsche Haube (Zwiebeld.): über einer tiefen Einschnürung erhebt sich die zwiebelförmige Turmspitze, vom 16. bis 18. Jh. vor allem in Süddeutschland auftretend (Abb. 50, 51). – Eine neuere Form ist das Säge- oder Shedd., aus einer Reihe asymmetrischer Satteldächer bestehend, bei denen die fast senkrecht verlaufende Fläche verglast sein kann.

Dachkonstruktionen Das Traggerüst des Dachstuhls wurde in der Vergangenheit immer und wird heute noch meist aus Holz errichtet: 1. Beim Pfettendach sind auf horizontaler Balkenlage die ansteigenden Sparren mit Fuß- und Mittelpfetten zugfest verbunden. Die Mittelpfetten werden in Abständen von ca. 4,50 m durch Stiele gestützt, die von Streben begleitet

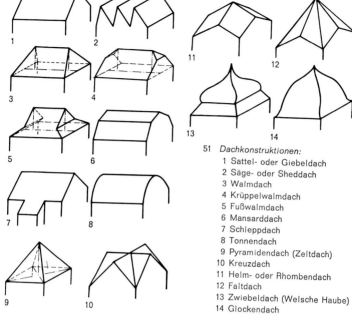

51 *Dachkonstruktionen:*
1 Sattel- oder Giebeldach
2 Säge- oder Sheddach
3 Walmdach
4 Krüppelwalmdach
5 Fußwalmdach
6 Mansarddach
7 Schleppdach
8 Tonnendach
9 Pyramidendach (Zeltdach)
10 Kreuzdach
11 Helm- oder Rhombendach
12 Faltdach
13 Zwiebeldach (Welsche Haube)
14 Glockendach

sein können, um die Lasten in das Außenmauerwerk abzuleiten. Bei größeren Spannweiten wird eine Firstpfette verwendet, die ebenfalls durch Stiele abgestützt wird, 2. beim Sparrendach werden zwei Sparren mit einem Dachbalken zu einem Dreieck (Gesparre) verbunden. Die Gesparre werden durch schräg untergenagelte Windrispen gefestigt. Diese Konstruktion ist nur für Satteldächer mit geringer Raumtiefe verwendbar, 3. beim Kehlbalkendach müssen die Sparren, wenn sie die Länge von 4,50 m überschreiten, möglichst in der Mitte durch Kehlbalken unterstützt werden (Abb. 51).

Dachreiter Glocken-, Uhr- oder Ziertürmchen auf dem → First eines → Daches. Kennzeichen der turmlosen Zisterzienserkirchen (→ Zisterzienserbaukunst).

Dansker Freistehender Turm als Abortanlage neben den → Ordensburgen, mit ihnen durch Brückengänge verbunden.

Deambulatorium → Chorumgang.

Decke Der obere Abschluß eines Raumes, aus Trag-, Aussteif- und Gehschicht bestehend. Das Material der Tragschicht kann Holz, Stein, Stahlbeton oder Stahl sein. Die

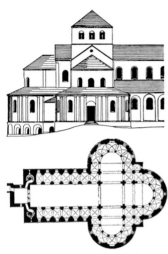

52 Köln: St. Maria im Kapitol. 1030–1065. Ansicht (nach H. Koepf) und Grundriß

tragfähige Fläche der Balkendecke besteht aus Balken, die der Plattenbalkendecke aus streifenweise verbundenen Balken und Platten, die der Plattendecke aus Platten ohne Balken. Bei kreuzweiser Verlegung der Balken entsteht die Kassettendecke (→ Kassette). Die Decke kann glatt auf den Wänden aufliegen oder durch → Gesims oder Kehle abgesetzt und stukkiert und (oder) bemalt sein.

Decorated Style Stil der englischen →Gotik von ca. 1270 bis nach Mitte des 14. Jh., durch reiche Dekoration ausgezeichnet (vgl. → Gotik, Abb. 90).

Decumanus Ostwestliche Hauptstraße römischer Lager (→ Cardo, → Castrum).

Dekastylos → Tempelformen.

Denkmal Aus dem ägyptischen Grabkult entwickeltes freistehendes Monument (→ Pyramide, → Obelisk, Sphinx). In der Antike entstanden profane Denkmäler wie → Kenotaph, → Triumphbogen, → Triumphsäule, Reiterd. und Standbild. Mit dem *Reiterdenkmal des Gattamelata in Padua* (1443 ff.) von Donatello schloß sich die italienische → Renaissance wieder an die Antike an, fortgesetzt vom gesamten europäischen → Barock, wobei das D. im wesentlichen Fürsten und Feldherren vorbehalten blieb. Seit dem 19. Jh. erweiterte sich der Inhalt ins Unübersehbare. – Im übertragenen Sinn wird heute als D. jeder bedeutendere künstlerische und historische Gegenstand bezeichnet (Literatur-, Kunstdenkmal usw.).

Desornamentadostil Strenge Form der → Renaissance in Spanien, z. B. der *Escorial* (→ Renaissance, Abb. 191).

Deutsches Band (Zickzackfries) Aus übereck gelegten Steinen gebildeter → Fries der deutschen → Backsteingotik.

Diakonikon Raum neben der → Apsis frühchristlicher → Basiliken zum Aufenthalt der Diakone, auch als Gaben-, Kleiderkammer und Bibliothek dienend.

Diamantquader Ein → Quader, dessen Vorderseite pyramidenförmig bearbeitet ist.

Dienst Dünne Viertel- bis Dreiviertelsäulen, die → Gurten und → Rippen gotischer → Gewölbe stützen (→ Bündelpfeiler, → Säule). Die stärkeren »alten Dienste« setzen sich in Quer- und Längsgurten fort, die dünneren »jungen Dienste« in den Rippen.

Diglyph (griech. Zweischlitz) Von der → Triglyphe abgeleitete Form der italienischen → Renaissance.

Dipteros (griech. der Zweigeflügelte) → Tempelformen.

Docke Meist hölzernes bauchiges Säulchen.

Dodekastylos → Tempelformen.

Dom (lat. domus = Haus) Abkürzung von Domus Dei (Haus Gottes), Bischofskirche. In Deutschland auch Bezeichnung für andere große Kirchen (→ Kathedrale).

Domikalgewölbe → Busung.

Donjon → Burg.

Doppelchoranlage Mit der → karolingischen Architektur auftretende Kirchen mit Ost- und Westchor, vorwiegend in Deutschland bis zum 13. Jh. üblich (vgl. → Romanik, Abb. 199).

Doppelkapelle Zweigeschossige, meist zentrale Anlage, deren beide Geschosse durch die offene Mitte miteinander verbunden sein können. Vom 10.–12. Jh. in → Burgen und → Pfalzen üblich. Die obere → Kapelle diente der Herrschaft, die untere dem Gesinde; beide konnten infolge der offenen Mitte an demselben Gottesdienst teilnehmen. Entwickelt nach dem Vorbild der *Aachener Hofkapelle Karls des Großen* (→ Karolingische Architektur, Abb. 143).

Dorische Ordnung Älteste der griechischen → Säulenordnungen, seit dem Ende des 7. Jh. v. Chr. entwickelt. Die mit → Kanneluren und → Entasis versehene → Säule steht ohne → Basis auf dem → Stylobat. Das → Kapitell besteht aus einem wulstförmigen Kissen (→ Echinus) und dem quadratischen → Abakus. Darüber liegt der → Architrav, aus einem glatten Steinbalken und aus einem mit → Triglyphen und → Metopen verzierten → Fries bestehend. Den Abschluß bildet der dreieckige → Giebel mit dem → Tympanon (vgl. → Abakus, Abb. 1).

Dormitorium (lat. Schlafsaal) Gemeinsamer, später in Zellen unterteilter Schlafraum der Mönche, im Obergeschoß des Ostflügels vom → Kreuzgang eines → Klosters gelegen.

Dreikonchenanlage (Trikonchos) Eine → Basilika, deren Querschiffarme wie der → Chor in Apsiden (→ Apsis) enden, so daß ein gleichmäßiges Kleeblatt entsteht, das einen unvollständigen → Zentralbau darstellt. Auch der Chor allein kann als Trikonchos ausgebildet sein. Besonders verwendet in der Kölner → Romanik. Die Form stammt aus der spätantik-→ frühchristlichen Architektur (Abb. 52).

43

53 Lincoln: Kathedrale. 1192–1320

Dreipaß In einem Kreis (→ Paß) angeordnete drei gleichmäßige Kreisbögen (auch Vierpaß usw.). Form des gotischen → Maßwerks.

Dreistrahlgewölbe → Gewölbe mit drei → Kappen über dreieckigem → Grundriß, für gotische → Chorumgänge entwickelt, häufig auch in → Ordensburgen.

Dübel Kleiner Zapfen aus Bronze oder Holz, mit dem die → Trommeln einer → Säule oder Steinblöcke ohne Mörtel verfestigt wurden.

Duecento (ital. 200) Italienische Bezeichnung für die Kunst des 13. Jh.

Early English Englische Frühgotik vom Ende des 12. bis nach der Mitte des 13. Jh., ausgezeichnet durch stärkere Horizontalentwick-

lung als in der festländischen → Gotik, durch gerade Chorabschlüsse und durch Ausbildung reicher Gewölbeformen, z. B. → Fächer- und → Sterngewölbe (Abb. 53).

Echinus (griech. Seeigel) Kreisförmiger Wulst des dorischen → Kapitells zwischen Säulenschaft und → Abakus (→ Dorische Ordnung).

Eckblatt Auch Eckknolle und Ecksporn genannt. In der mittelalterlichen Baukunst verwendetes plastisches Motiv auf den Ecken der quadratischen Fußplatte (→ Plinthe) als Überleitung zur runden Säulenbasis.

Ehrenhof (franz. Cour d'honneur) Der vom → Corps de logis und den Seitenflügeln umschlossene und nach vorn offene Hof des Barock-Schlosses (→ Barock, Abb. 34).

Ehrenpforte → Triumphbogen.

Ehrensäule → Triumphsäule.

Eierstab Ionische Zierleiste aus wechselnd eiförmigen und spitzen Stegen gebildet, zuweilen auch von → Astragalen begleitet.

Eingezogener Chor Ein Chor, der schmaler ist als das → Mittelschiff.

Eklektizismus → Historismus.

Empire Unter Napoleon I. (1804 bis 1815) entwickelter klassizistischer Stil (→ Klassizismus), hauptsächlich von der römischen Antike, aber auch von der → ägyptischen Archi-

54 Caen: Saint-Etienne. Um 1063 – nach 1077

tektur und Dekoration abgeleitet. Verbreitete sich über ganz Europa und währte einige Zeit nach 1815.

Empore Ein in einen Hauptraum sich öffnender tribünenartiger Aufbau; vor allem aber die in → Sakralbauten sich zum → Mittelschiff hin öffnenden Räume über den Seitenschiffen, die auch um die Westseite für die Orgel und als Sängertribüne und gelegentlich um die Querschiffarme herumgeführt werden konnten. Ebenso das Obergeschoß von → Zentralbauten. Sie dienten als zusätzliche Räume für die Gläubigen, gelegentlich nur für die Frauen, wurden in der romanischen Baukunst (→ Romanik) seit Beginn der Einwölbungen im 11. Jh. aber hauptsächlich aus konstruktiven Gründen zum Auffangen und Ableiten von Druck und → Schub der → Gewölbe angelegt. Mit der Hochgotik (→ Gotik) seit dem 13. Jh. verschwinden sie, tauchen im → Barock aber wieder auf.

Die ersten Emporen finden sich in der →römischen und → frühchristlichen Architektur (Abb. 54).

Enfilade (franz. Aufreihung) Um 1650 in Frankreich entwickelte Anordnung von Räumen, deren Türen in einer → Achse liegen, meist an der Fensterseite, und geöffnet einen Durchblick durch die ganze Folge gewähren. Merkmal des barocken Schloßbaus (→ Barock).

Englischer Verband → Mauerverband.

Entasis (griech. Anspannung) Sanfte Schwellung des Säulenschaftes in der → griechischen Architektur, um Starrheit zu vermeiden und ein lebendiges Reagieren auf den Druck der getragenen Last vorzutäuschen.

Entlastungsbogen Der in eine Wand eingemauerte → Bogen zur Entlastung des unteren → Mauerwerks.

Entresol (franz.) → Mezzanin.

Epistyl → Architrav.

Epitaph (griech. Grabschrift, Grabrede) Gedächtnismal für einen Verstorbenen, seit dem Mittelalter an Innen- und Außenwänden von Kirchen und in → Kreuzgängen angebracht, meist nicht mit dem Grab verbunden. Es kann als Inschrifttafel auftreten, als Platte mit der Gestalt des Verstorbenen und seit der → Renaissance als mehrgeschossiger reicher Aufbau mit vielfigurigen Szenen.

55 Perugia: Stadttor. 2. Jh. v. Chr. (nach H. Koepf)

Erker Durchfensterter Vorbau an Fassaden von Häusern und Schlössern, an einem höheren Geschoß frei vorkragend.

Escarpe → Festung.

Eselsrücken (Kielbogen) Konvex-konkav geschwungene Form eines gotischen → Spitzbogens, wie der Querschnitt eines Schiffskieles wirkend; um 1300 aufgekommen und besonders in England gebraucht. Vorher schon in der → islamischen Architektur bekannt (→ Bogen, Nr. 8 auf Abb. 43).

Estrade Ein- oder mehrstufig über dem Fußboden erhobener Raumteil.

Etruskische Architektur Wenig später als die Dorier in Griechenland, Anfang des 1. Jahrtausends v. Chr., wanderten die Etrusker in Nord- und Mittelitalien ein. Die Entwicklung zur Hochkultur setzte, unter starken griechischen Einflüssen, gleichzeitig mit der Gründung der griechischen Städte auf Sizilien und in Süditalien im 8. Jh. ein. Sie währte bis zum 4. Jh., in Ausläufern bis zum 1. Jh. v. Chr., und wirkte stark auf die römische Antike (→ Römische Architektur) ein. Aus unterirdischen Grablagen, die mit Fresken oder Stuckreliefs geschmückt wurden und eine bedeutende Rolle spielten, ist die Grundform des etruskischen Hauses zu erkennen, die nicht dem griechischen → Megaron entsprach, sondern ein offenes → Atrium mit dem → Impluvium als Mittelpunkt hatte. Daraus entwickelte sich das römische Haus. Als Baumaterial dienten → Bruchstein mit Mörtel, Lehmziegel und Holz. Die Wände wurden verputzt, Holzteile mit → Terrakotten verkleidet. → Haustein wurde für Fundamente und für Stadtmauern und Tore verwendet, die mit echten Bogenwölbungen versehen waren (Abb. 55). → Kraggewölbe, wie sie aus kretisch-mykenischen Gräbern bekannt sind, finden sich in etruskischen Gräbern seit dem 7. Jh. Gegen Ende des 4. Jh. tauchten echte Gewölbe- und Bogenkonstruktionen auf, die von den Römern weiterentwickelt und zur Vollendung gebracht wurden. – Nach einer Beschreibung bei Vitruv und erhaltenen Fundamenten war der etruskische → Tempel das Vorbild des römischen: Stets auf ein hohes Podium (→ Podiumtempel) gestellt, das nur an der Eingangsseite über eine breite Treppe zugänglich war, bestand er aus einer mehrreihigen Säulenvorhalle (anfänglich aus Holz, wie auch das reich mit Terrakotten geschmückte → Gebälk) und einer kurzen → Cella, die einräumig oder in drei parallele Kammern geteilt war. Die Außenseiten konnten je eine freistehende Säu-

lenreihe oder mit der Wand ver-
bundene → Halbsäulen erhalten.
Der entscheidende Unterschied zum
griechischen Tempel ist die eindeu-
tige axiale Gerichtetheit. Die beste
Anschauung bietet die frührömische
Maison Carrée in Nîmes (Abb. 56).

Exedra (griech. abgelegener Sitz)
In der Antike halbrunde geräumige
Sitznische in Wohnhäusern, Höfen
und an Plätzen. Auch die →
Apsis christlicher Kirchen wird so
bezeichnet.

Expressionismus → Plastischer Stil.

Fachwerk Gerüst- oder → Skelettbau mit Holzbalken, zusammengesetzt aus Schwellen, Stän-
dern, Rahmen, Riegeln, Streben,
→ Knaggen. Die Gefache sind mit
Flechtwerk unter Lehm oder mit
→ Backsteinen gefüllt. Aus dem
Pfostenbau der Vor- und Früh-
geschichte hervorgegangen. Reichste

56 Nîmes: Maison Carrée. 16 v. Chr. voll.

Entfaltung vom 15. bis Anfang 17.
Jh. in Deutschland (Abb. 77) bis
zur Elbe, in der Normandie und
in England.

Fächergewölbe Eine Vielzahl
von → Rippen geht fächerförmig
von einem Punkt aus. In der englischen → Gotik (→ Early English)
erfunden, von Deutschordensbauten
und deutscher Spätgotik übernommen (→ Gewölbe).

57 Hildesheim: Marktplatz vor der Zerstörung

Fallgatter Eisengitter oder mit Eisen beschlagenes Holzgitter, das in Stadt- und Burgtoren an Ketten herabgelassen werden konnte.

Faltdach → Dachformen.

Faltwerk Gefaltetes Tragwerk im Spannbetonbau zur Überspannung großer Räume.

Falzziegeldach → Dachdeckung.

Faszie (lat. fascia = Band) Die drei abgestuften Unterteilungen des → Architravs der → ionischen Ordnung (vgl. → Abakus, Abb. 1; → Säulenordnungen).

Feldsteinmauerwerk → Bruchsteinmauerwerk.

Fenstergaden → Obergaden.

Fensterrose Großes, mit → Maßwerk gefülltes Rundfenster an Fassaden gotischer → Kathedralen (Abb. 58).

Fertigbauweise → Präfabrikation.

Feston Durchhängende, plastisch gebildete Girlande aus Zweigen, Früchten, Blumen und Bändern.

Festung Mit der Einführung der Feuerwaffen wurde die → Burg durch die F. ersetzt. Die Entwicklung begann im 15. Jh. in Italien, das neben Frankreich zunächst führend war. Der gebrochenen Umfassungsmauer mit → Bastionen wird das → Glacis vorgelegt. In den Bastionen und hinter den Mauern befinden sich die → Kasemat-

58 Paris: Notre Dame. Um 1163 – um 1197

ten. Die Außenseite der Ummauerung heißt Escarpe, die Gegenseite des dazugehörigen Grabens Konterescarpe, der Wall zwischen den Bastionen Kurtine. Zum besseren Schutz des Glacis wurden kleine Außenwerke wie Ravelin und Hornwerk angelegt, später in größerer Entfernung die Schanze und das Fort. Im Ersten Weltkrieg erwiesen sich alle Festungsanlagen als nutzlos, es entstanden Bunkerlinien (*Maginotlinie, Westwall*), die sich im Zweiten Weltkrieg ebenfalls als nicht ausreichend zeigten.

Fiale (griech. phiale = Gefäß) Schlankes spitzes Ziertürmchen der Gotik auf → Strebepfeilern, an → Wimpergen und anderen Stellen, aus Schaft (»Leib«) und Helm (»Riese«) bestehend. (Abb. 59).

Figurenkapitell → Kapitell.

First Die durch das Zusammen-
stoßen von zwei Dachflächen gebildete Linie.

Fischblase Auch Schneuß genannt. Kurvig bewegte gotische →
Maßwerk-Form (Abb. 60).

Fischgrätenverband → Opus spicatum.

Flachbogen (Segmentbogen) Der
von einem Kreissegment gebildete
Bogen (→ Bogen, Nr. 4 auf Abb.
43).

Flamboyant (franz. flammend)
Letzte Stufe der französischen →
Gotik mit langgezogenem, kurvig-
züngelndem → Maßwerk.

Flechtband Ornament aus gefloch-
tenen Bändern, Höhepunkt seiner
Verwendung vom 6.–10. Jh.

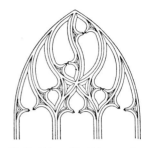

60 Fischblase (Fischblasenmotiv
in Maßwerkfenster)

Formstein Besonders geformter
Stein aus → Haustein oder →
Backstein zur Verwendung als
→ Kämpfer-, Bogen- oder Gesims-
stein für Giebel-, Fenster- oder
Portalrahmungen.

Forum Meist längsrechteckiger
Marktplatz der römischen Stadt,
der als Versammlungsort auch po-
litische Bedeutung hatte. Die regelmäßig gestalteten *Kaiserfora in
Rom* dienten dem Kaiserkult (→
Römische Architektur, Abb. 217).

59 Reims: Kathedrale, Südseite. Um
1210 beg.

Fries Schmaler Streifen zur Gliederung und Dekorierung von Bauten. Figurenfriese an antiken →
Tempeln und in der → Renaissance. Häufiger Ornamentfriese
der verschiedensten Form. In der
Antike: 1. → Laufender Hund
(Wellenband), 2. → Mäander,
3. → Zahnschnittf. In der → Romanik: 4. Zackenf. (Sägezahnf.,
Spitzzahnf.), 5. Schachbrettf. (→
Würfelf.), 6. Kerbschnittf. (Zahn-
fries), 7. → Bogenf. (→ Rund-
bogenf.), 8. Kreuzbogenf., 9. Dia-

49

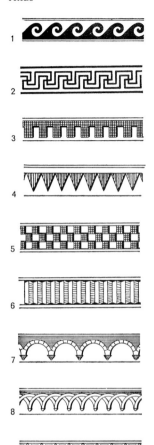

61 *Friese:*
    1 Laufender Hund (Wellenband)
    2 Mäander
    3 Zahnschnittfries
    4 Zackenfries oder Sägezahn-,
      Spitzzahnfries
    5 Schachbrettfries (Würfelfries)
    6 Kerbschnitt oder Zahnfries
    7 Rundbogenfries
    8 Kreuzbogenfries
    9 Diamantfries

mantf. (→ Deutsches Band, Zick-zackf.). In der Gotik: Blatt- und Laubfriese (Abb. 61).

Frigidarium Kaltwasserbad der römischen → Thermen.

Frontispiz Dreiecksgiebel, meist über dem Mittelrisalit (→ Risalit) eines Gebäudes.

Frühchristliche Architektur Eine Trennung der Bauentwicklung vom 4.–6. Jh. im Westen und Osten des Römischen Reiches von der der Spätantike ist nur durch die Zweckbestimmung als christliche Gotteshäuser gerechtfertigt. In Konstruktion und Raumgesinnung stehen diese in ungebrochenem Zusammenhang mit der römischen Raumarchitektur (→ Römische Architektur). Allmählich verschwindet jedoch deren Charakter des schweren Massenbaus, so daß die oft sehr großen Anlagen den Eindruck von Schwerelosigkeit erwecken. Als Baumaterial dient vorwiegend → Backstein neben Werkstein, → Marmor und Holz. – Die oströmische Baukunst des 6. Jh., meist als byzantinisch bezeichnet (→ Byzantinische Architektur), wird hier aber wegen der Zusammengehörigkeit ihrer Raumgesinnung mit der Spätantike zur frühchristlichen Architektur gerechnet.

Die Notwendigkeit großer kirchlicher Anlagen ergab sich durch die Anerkennung des Christentums mit dem Mailänder Edikt von 313. Für den Kult boten sich zahlreiche Vorbilder von Lang- und → Zentralbauten an. Da der antike → Tempel keinen genügenden Innenraum für die Gläubigen enthielt, bot sich die heidnische → Basilika als Form für die Versammlungshäuser der Gemeinde an, deren Querlagerung indes in Längsgerichtetheit verwandelt wurde. Schon 313 stiftete Konstantin der Große *S. Giovanni in Laterano*, die eigentliche Bischofskirche von Rom; 324–330 wurde *Alt-St. Peter* geplant und 333 begonnen (Abb. 62) und erhielt vor der → Apsis ein großes → Querschiff, was ungewöhnlich war und nur von *S. Paolo fuori le mura in Rom* (Ende 4. Jh.) nachgeahmt wurde. Querschiffe werden allgemein erst in karolingischer Zeit (→ Karolingische Architektur) eingeführt. Durch das gerade → Gebälk, das den Raum fest lagernd und saalartig wirken läßt, bewahrt *S. Maria Maggiore in Rom* von 432 bis 440 besonders stark antik-römischen Geist; die Kassettendecke (→ Kassette) stammt aus der → Renaissance. Ein vorzüglich wiederhergestelltes Beispiel der »normalen« querschifflosen dreischiffigen Basilika stellt *S. Sabina in Rom* von 422–432 dar (→ Basilika, Abb. 41). Die großen Fenster des → Obergadens erfüllen den Raum mit hellem gleichmäßigem Licht. Im Prinzip völlig gleich sind die ravennatischen Basiliken des 6. Jh. wie *S. Apollinare Nuovo*, vom Ostgotenkönig Theoderich erbaut, und *S. Apollinare in Classe* von etwa 530–549 (Abb. 63), deren → Campanile aus dem 10. Jh. stammt. In Italien erhält sich der Typus der ungewölbten frühchristlichen Basilika bis ins 12. Jh. hinein. – Neben dieser Normalform

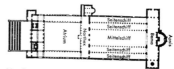

62 Rom: Alt-St. Peter. 333 bog.

gab es andere Lösungen, vor allem in den asiatischen Gebieten des oströmischen Reiches (Palästina, Syrien, Kleinasien), die hier jedoch außer Betracht bleiben müssen. Nur zwei Beispiele auf europäischem Boden seien noch erwähnt. Um 326–348 wurde *in Trier* die erste *Bischofskirche* errichtet. Der dreischiffigen Basilika von der Breite des heutigen romanischen → Domes schloß sich im Osten ein saalartiges → Sanktuarium an, das unter Kaiser Gratian (375–383) durch einen Neubau ersetzt wurde, der noch im gegenwärtigen Bestand erhalten ist. Seine Form weicht von allen mittelalterlichen Kirchen ab. Vier große Säulen trugen einen turmartigen Aufbau, unter dem ein kleinerer polygonaler Säulenbau stand. Südlich dieser Hauptkirche wurde parallel

63 Ravenna: S. Apollinare in Classe. Um 530–549

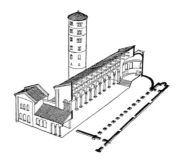

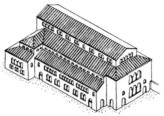

64 Saloniki: Basilika Hagios Demetrios
(nach Krautheimer). 5. Jh.

zu ihr eine zweite Kirche mit →
Atrium, Vorhalle und dreischiffi-
gem Saal errichtet, deren Reste bis
zum Bau der gotischen Lieb-
frauenkirche im 13. Jh. noch dem
Gottesdienst dienten. Zwischen den
beiden Kirchen befand sich ein
quadratisches → Baptisterium. –
Eine große Emporenbasilika entstand im 5. Jh. mit *H. Demetrios
in Saloniki;* sie wurde 629–634 im
wesentlichen nach dem alten Plan
wiederaufgebaut (Abb. 64, 65).
Fünfschiffig und mit niedrigen
Querarmen versehen, über 55 m

lang, ist das Innere im Rhythmus
4:5:4 durch einen → Stützenwechsel
mit starken → Pfeilern gegliedert.
  Die ungebrochene Fortsetzung
römischer Baugesinnung zeigt sich
auch an den Zentralbauten. Ein
Rundbau wie *S. Costanza in Rom,*
um 350 als → Mausoleum für eine
Tochter Konstantins des Großen
errichtet, ist von einem heidni-
schen Bau kaum zu unterscheiden
(Abb. 66). Radial gestellte Dop-
pelsäulen mit → Architrav-Frag-
menten tragen die Bögen und den
Mauerzylinder, der von dichtge-
stellten großen Fenstern durch-
brochen wird, über denen die
Kuppelwölbung (→ Kuppel) ein-
setzt. Der mit einer → Ringtonne
überwölbte → Umgang ist in der
starken Umfassungswand durch
wechselnd rechteckige und halbrunde Nischen gegliedert. – Auch
für die stets freistehenden Baptisterien wurde der Zentralbau maßgebend. Vollständig erhalten ist
das *Baptisterium der Orthodoxen
in Ravenna* aus der 1. Hälfte des

65 Saloniki: Basilika Hagios Demetrios. 5. Jh.

66 Rom: S. Costanza. Um 350

5. Jh., ein kuppelüberwölbtes →
Oktogon, reich mit Marmorinkru-
stationen, Mosaiken und → Stuk-
katuren geschmückt (Abb. 67).
Ebenso eindrucksvoll ist dieser Gegensatz von Außen und Innen, der
die gesamte frühchristliche Architektur auszeichnet, an dem etwa
gleichzeitigen kreuzförmigen *Mausoleum der Galla Placidia in Ravenna* zu erleben. Einzigartig ist
das *Grabmal,* das sich der 526
verstorbene Ostgotenkönig Theoderich nach 500 *in Ravenna* errichten ließ (Abb. 68). Auf einem
zehneckigen Unterbau mit großen
Außennischen erhebt sich ein Rundbau, der ursprünglich von einem
Säulenkranz umgeben war und
mit einem mächtigen → Monolith
abgedeckt ist. Daß das Grabmal
im Gegensatz zum üblichen Backstein in meisterhaft geschnittenen
→ Quadersteinen gebaut wurde,

verrät den Anspruch auf volle
Bewahrung der kaiserlich-römi-
schen Tradition.

67 Ravenna: Dom, Baptisterium der
Orthodoxen. 1. H. 5. Jh.

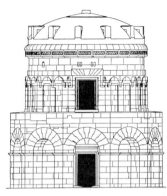

68 Ravenna: Grabmal des Theoderich.
    Nach 500

70 Ravenna: S. Vitale. Um 525–548
    (nach Millon-Frazer)

Daß der Zentralbau nicht nur den meist kleineren Tauf-, Grab- und Märtyrer-Kirchen vorbehalten war, beweist die großartige Anlage von *S. Lorenzo Maggiore in Mailand*, die wahrscheinlich zwischen 355 und 372 errichtet worden ist (Abb. 69). Ihre Grundform ist trotz vieler Restaurie-

rungen und Veränderungen vom 11.–17. Jh. im heutigen Zustand noch erhalten. Aus einem Quadrat mit vier Ecktürmen wölben sich zweigeschossige → Exedren heraus, die nach innen eine Art von Umgang mit → Emporen bilden. Über dem quadratischen Mittelraum war ursprünglich ein →

69 Mailand: S. Lorenzo Maggiore. Um
    355–372. Wendelgang, wiederherge-
    stellt im 16. Jh.

71 Ravenna: S. Vitale. Um 525–548

Kreuzgewölbe mit segelartig aufgeblähten → Kappen gespannt. Im Westen lagerte sich ein wahrhaft imperiales → Atrium vor, von dem die große Säulenreihe der Eingangsseite erhalten ist, die man lange für den Rest einer kaiserlichen → Thermen-Anlage des 3. Jh. gehalten hat. Die Kirche hatte für die Zentralbauideen Bramantes und Leonardos große Bedeutung. – Noch zu Lebzeiten Theoderichs, um 525, wurde *S. Vitale in Ravenna* begonnen (Abb. 70, 71). In einem Oktogon schwingen zweigeschossige Exedren mit offenen Säulenarkaden in einen Umgangsraum hinein und bilden zugleich eine bis zur Chornische umlaufende Empore. Auf durchfenstertem oktogonalen Tambour erhebt sich die halbkugelige → Kuppel, deren Gewicht durch die Einmauerung von Amphoren erleichtert wurde. Gegenüber *S. Lorenzo in Mailand* ist alles feiner, schlanker und vertikaler geworden, das Imperiale ist in höfischere Eleganz verwandelt, deren Verfeinerung zugleich Vergeistigung bedeutet. – Den letzten Höhepunkt dieser Verwandlung imperialer römischer Raumgesinnung in einen himmlischen Palast christlicher Vergeistigung stellt die *Hagia Sophia in Konstantinopel* von 532–537 dar (Abb. 72, 73). Es handelt sich um eine dreischiffige Emporenkirche, deren Längsrichtung durch die gewaltige Kuppel von 33 m Durchmesser aber so übertönt wird, daß sie wie ein reiner Zentralbau wirkt. Auf dem Kuppelring ruht ein Kranz von 40 Fenstern, das → Gewölbe einer

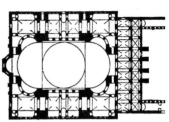

72 Konstantinopel: Hagia Sophia. 532 bis 537. Längsschnitt (nach Gurlitt) und Grundriß (nach v. Sybel)

festen Basis beraubend und es als schwerelos schwebend erscheinen lassend. Die Gesamthöhe des Mittelraumes beträgt 55,6 m. Der Raumeindruck gehört zu den großartigsten der Weltarchitektur. – Die *Hagia Sophia* hatte keine Nachfolge, es sei denn in den türkischen → Moscheen seit dem 15. Jh. Von größerer Bedeutung für die Zukunft wurde die gleichzeitig von der Kaiserin Theodora errichtete *Apostelkirche in Konstantinopel*, ein reiner Zentralbau in der Form des griechischen → Kreuzes mit einer großen Mittelkuppel und vier kleineren Kuppeln auf den Kreuzarmen. Die Kirche wurde im 15. Jh. von den Türken zerstört. Etwas von ihrer Großräumigkeit, die in der byzantinischen Baukunst vollkommen verloren ging, ist in der *Markuskirche in Venedig* aus dem 11. Jh. (Abb. 74,

73 Konstantinopel: Hagia Sophia. 532–537

75) und in *Saint-Front in Périgueux* aus dem 12. Jh. zu spüren, die beide dem Plan der *Apostelkirche* folgten.

Füllmauer Parellelmauer mit Zwischenraum, der mit Steinen und Mörtel gefüllt wird.

Fundament In der Erde befindliche Mauern oder Pfahlroste, auf denen ein Gebäude errichtet wird.

Funktionalismus Moderne Architektur, die die Gestalt eines Bauwerks ganz aus seinen Funktionen zu entwickeln versucht.

74 Venedig: S. Marco. Um 1050 oder 1063 beg.

75 Venedig: S. Marco. Um 1050 oder 1063 beg.

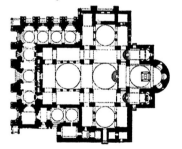

Fußwalmdach → Dachformen.

Futtermauer Meist geböschte Wand gegen Erd- und Wasserdruck, auch Stützmauer genannt.

Gaden → Obergaden.

Galerie Langgestreckter, nach einer Seite durchfensterter Verbindungsgang in Schlössern der → Renaissance und des → Barock, auch als Festsaal und zur Unterbringung von Gemälden benutzt, weswegen der Name auf Gemäldesammlungen (Museen) übertragen wurde. Ferner Laufgang mit offenen → Arkaden an einer Fassade (→ Königs- und → Zwerggalerie); obere Ränge eines Theaters.

Gartenarchitektur Nach den großartigen Anlagen der Römer *(Villa Hadriana bei Tivoli)* und des Islams *(Alhambra)* setzte eine regelmäßige, auf die Architektur ausgerichtete G. erst wieder in der italienischen → Renaissance ein. Sie fand ihren Höhepunkt im französischen → Barock-Park *(Ver-*

57

76 Worms: Dom. 1181–13. Jh.

sailles), der sich über ganz Europa ausbreitete. Unmittelbar an das Schloß schließt sich das Gartenparterre mit geometrisch geschnittenen niedrigen Beeten an; davon gehen Kanäle und radial geführte Alleen aus. Im frühen 18. Jh. entstand in England der natürliche unregelmäßige Landschaftsgarten (»Englischer Garten«) mit kleinen Bauten und → Denkmälern, der nach der Mitte des Jahrhunderts überall den geometrisch-regelmäßigen Garten ablöste und im Grunde noch heute die G. bestimmt.

Gaube (Gaupe) Größeres Dachfenster mit eigenem → Dach.

Gebälk Der aus → Architrav, → Fries und → Gesims bestehende Teil einer → Säulenordnung und die zu einer → Decken- oder → Dachkonstruktion gehörenden Balken.

Gebundenes System (Quadratischer Schematismus) In der → Romanik entwickelte Anlageform der → Basilika, bei der das Vierungsquadrat (→ Vierung) in den Mittelschiffsjochen, → Querarmen und im Chorjoch wiederholt wird. In den Seitenschiffen entsprechen zwei Quadrate von halber Seitenlänge einem Mittelschiffsjoch. Bei Einwölbung können alle → Gurt- und → Schildbögen halbkreisförmig gebildet werden. Im → Mittelschiff findet → Stützenwechsel statt (Abb. 76).

Geison Kranzgesims der antiken → Tempel neben der → Traufe (vgl. → Abakus, Abb. 1; → Säulenordnungen).

Gekuppelt (gekoppelt) Zwei oder mehrere → Säulen mit gemeinsamem → Gebälk und zwei durch ein Säulchen getrennte und mit einem übergreifenden → Blendbogen zusammengefaßte Fenster.

Gekröpftes Gesims → Verkröpfung.

Gesims Waagerechte, oft profilierte Streifen vor der Wand, die Sockel und Geschosse abtrennen und den Bau nach oben abschließen. Sie heißen: 1. Fuß- oder Sockelg., 2. Gurt-, Stockwerk- oder Kordong., 3. Fenster- oder Brüstungsg., 4. Dach-, Haupt- oder Kranzg., das die reichste Ausbildung erfährt und am meisten vorkragt, 5. Kaffg., mit abgeschrägter Deckplatte, verläuft unter den Fenstern; gotische Sonderform.

Gesprengter Giebel → Giebel.

Gestelzter Bogen Zwischen → Kämpferlinie und Bogenansatz befindet sich ein senkrechter Teil (→ Bogen, Nr. 9 auf Abb. 43).

Gewände Schräge Führung des Mauereinschnitts bei → Portalen, kann profiliert und mit eingestellten → Säulen und Figuren versehen sein (Gewände- oder Stufenportal).

Gewölbe Gekrümmte Überdekkung von Räumen aus Natur- oder → Backstein, bestehend aus einer tragenden Schale oder einem Traggerüst aus → Rippen, zwischen denen die Schale als → Kappen eingespannt ist. Die erste große Entwicklung von Gewölben fand in der römischen Antike (→ Römische Architektur) statt. Im Abendland setzte die Einwölbung großer Kirchenräume am Ende des 11. Jh. ein, → Profanbauten folgten später. – Gewölbeformen: → Tonneng., → Ringtonne, → Gurtg., → Kreuzg. (Kreuzgratg.), → Kreuzrippeng., → Domikalg., → Dreistrahlg., → Sterng.→ Netzg., → Fächerg., → Klosterg., → Muldeng., → Spiegelg., → Stalaktiteng.

Giebel Dreieckige Stirnseite eines Gebäudes mit Satteldach (→ Dachformen), auch über Türen, Fen-

stern u. a. verwendet. Der G. über einem → Risalit heißt → Frontispiz. – 1. In der Spätgotik entwickelt sich der Treppen-, Staffel- oder Stufengiebel mit stufenförmigem Umriß, 2. der Rundg. hat halbkreisförmigen Umriß, 3. Segmentg. mit segmentförmigem Abschluß, 4. Knickg. mit mehrfach gebrochenen Seiten, 5. gesprengter G. ohne Mittelteil, so daß nur zwei Seitenteile bleiben, 6. verkröpfter G. mit vor- oder zurücktretendem Mittelteil.

Giebeldach (Satteldach) → Dachformen.

Giebelfeld → Tympanon.

Girlande → Feston.

Glacis Freies, leicht abfallendes Gelände vor den Festungen des 16.–18. Jh.

Gleichseitiger Spitzbogen → Spitzbogen.

Goldener Schnitt Verhältnis zweier Teile einer Strecke, wobei sich der kürzere Teil zum längeren wie

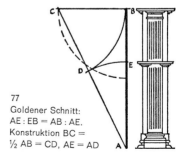

77
Goldener Schnitt:
AE : EB = AB : AE.
Konstruktion BC =
½ AB = CD, AE = AD

dieser zur ganzen Strecke verhält. Schon in der griechischen Antike bekannt, in der → Renaissance oft angewandt (Abb. 77).

Gothic Revival → Neugotik.

Gotik Diese Bezeichnung der abendländischen Baukunst vom 12.–16. Jh. stammt von Giorgio Vasari (1511–1574), der vom Standpunkt des italienischen Renaissance-Künstlers aus die hoch- und spätmittelalterliche Architektur jenseits der Alpen als von Barbaren (Goten) geschaffen empfand. Die Mißachtung der Gotik dauerte bis um die Mitte des 18. Jh. – Ihre Entstehung in der *Ile-de-France* um 1135 *(Saint-Denis)* hängt mit der Erfindung des Rippengewölbes zusammen, das die Abwendung vom → gebundenen (quadratischen) System ermöglichte und die einheitliche Verwendung von → Spitzbögen erzwang. Gleichzeitig wurden die Wände zugunsten eines Stützen- und Gliederbaus weitgehend verdrängt und durch große Fensterflächen ersetzt. Die verdrängten Wandmassen er-

79 Limburg a. d. Lahn: Stiftskirche St. Georg. Vor 1220–1235

schienen als Strebepfeiler und Strebebögen (→ Strebewerk) am Außenbau. Das Konstruktionssystem bedingte ferner eine Vereinheitlichung aller Raumteile. Gegenüber der → Romanik erhielt die Architektur den Charakter von Schwerelosigkeit und Immaterialität, ähnlich wie die → frühchristliche gegenüber der → römischen Architektur, nur daß jetzt auch die letzten Reste antiker Maßverhältnisse verschwanden.

Die Frühgotik des 12. Jh. ist im wesentlichen auf die Ile-de-France und die benachbarten Gebiete der Champagne und Picardie beschränkt und entwickelt sich inmitten zahlreicher romanischer Bauschulen, deren Lebenskraft noch bis an das Ende des Jahrhunderts reicht. Etwas von romanischer Schwere ist noch in der *Kathedrale von Laon* von 1155/60 – um 1220

78 Laon: Kathedrale. 1155/60 – um 1220. Aufriß und Querschnitt (nach Dehio, Atlas IV, T. 373)

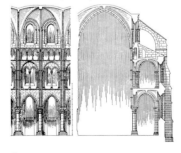

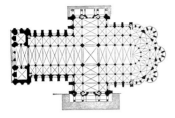

80 Chartres: Kathedrale. 1194–1260. Grundriß und Aufriß (nach Dehio Atlas IV, T. 363 und 382)

Vorbild für die vor 1220 begonnene und 1235 geweihte Stiftskirche *St. Georg in Limburg a. d. Lahn* (Abb. 79), die indes einen noch stärkeren spätromanischen Charakter bewahrt, wie es in Deutschland in der 1. Hälfte des 13. Jh. üblich ist (zur französischen Frühgotik vgl. → Fensterrose, Abb. 58).

Inzwischen ist in Frankreich mit der *Kathedrale von Chartres* (1194 bis 1260) der Schritt von der Frühgotik zur klassischen Hochgotik des 13. Jh. vollzogen worden (Abb. 80, 81). Die Emporen sind weggefallen und werden auch in Zukunft nicht mehr angebracht. Das kräftige und einheitlich durchgebildete Gerüst richtet sich straff und fest auf. → Langhaus, Querhaus und → Chor mit doppeltem

81 Chartres: Kathedrale. 1194–1260. Hochschiffwand nach Wiedereinsetzung der Glasfenster

spürbar, besonders an der plastischen Durchmodellierung der Westfassade, während der viergeschossige Aufbau des Innern mit → Emporen und → Triforium bereits die Systematik gotischer Wandaufgliederung zeigt (Abb. 78). Aber auch hier ist die Zusammenfassung von je zwei → Jochen durch ein sechsteiliges Rippengewölbe noch ein Nachklang des romanischen gebundenen Systems. In dem Turmreichtum und der Anlage des inneren Aufrisses wurde Laon das

82 Paris: Sainte-Chapelle. 1243–1248

Umgang und fünf Radialkapellen sind gleichmäßig ineinander verzahnt. Da alle Wände fast ganz durchfenstert sind, bleiben von den Mauern des Baukörpers nur geringe Restbestände übrig. Gegenüber *Laon* mit 24 m ist die Höhensteigerung mit 36,55 m beträchtlich. Es folgten die *Kathedralen von Reims* (1210 beg., → Fiale, Abb. 59) und *Amiens* (1220 beg.). Mit dem Chor der *Kathedrale von Beauvais* (1247 beg.) wurde eine innere Höhe von 47,6 m erreicht, die zum Einsturz der → Gewölbe führte. – Der Charakter eines Glas- oder Lichtschreins der Hochgotik kommt am stärksten im Obergeschoß der *Sainte-Chapelle in Paris* von 1243 bis 1248 zum Ausdruck (Abb. 82). Er erscheint aber auch vollendet in dem 1248–1322 errichteten *Chor des Kölner Domes* (Abb. 83), mit dem die Hochgotik in Deutschland

ihren Einzug hält. Wie stark in ihr aber noch ältere Traditionen wirksam zu sein vermögen, zeigt die *Elisabethkirche in Marburg* (Abb. 84, 85). Sie wurde 1235 bis 1283 als dreischiffige → Hallenkirche mit einer → Dreikonchenanlage im Osten errichtet, wie sie vom spätromanischen Rheinland her vertraut war. Der zweigeschossige → Aufriß ohne Triforium, in der Schule von Soissons ausgebildet, umgibt den Raum mit einer im Gerüst verspannten Glashaut. – In Spanien schließt sich die etwa gleichzeitig mit dem *Kölner Dom* begonnene *Kathedrale von Leon* am engsten der klassischen französischen Form an. – Erstaunlich ist die Selbständigkeit, mit der in England die Hochgotik ausgebildet wird, die nichts von der klaren französischen Systematik übernimmt. Der einheitlichste Bau ist die von 1220 bis um 1270 er-

83 Köln: Dom, Chor. 1248–1322

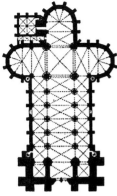

84   Marburg: Elisabethkirche. 1235–1283

richtete *Kathedrale von Salisbury*
(Abb. 86–88). Der → Grundriß
mit zwei → Querschiffen folgt der
Tradition der romanischen *Benediktinerabtei von Cluny* (→ Romanik, Abb. 206). Der Chorschluß

85   Marburg: Elisabethkirche. 1235–1283

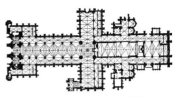

86–88   Salisbury: Kathedrale. 1220 – um
1270

87

88

89 Siena: Dom. 1229 beg.

ist gerade. Im Innern gibt es keine durchgehende Vertikalgliederung, sondern eine waagrechte Entwicklung, die jeden Gedanken an einen Gerüstbau ausschließt. Alle Formen sind äußerst scharf geschnitten. Im Äußern herrscht der 123 m hohe Vierungsturm vor, der auf dem Kontinent verschwunden ist (vgl. → Early English, Abb. 53). Was in Italien aus der französischen Kathedralgotik wurde, zeigt der 1229 begonnene *Dom von Siena* (Abb. 89). An das dreischiffige rippengewölbte Langhaus von fünf weiten Jochen schließt sich eine sechseckige kuppelüberwölbte → Vierung an. Der Aufriß ist zweigeschossig, die beiden Geschosse werden von einem durchlaufenden Konsolengesims (→ Konsole) völlig voneinander getrennt. Farbiger Steinwechsel in → Stützen und Wänden unterstreicht die horizontale Lagerung.

Im Laufe des 13. Jh. war die Formensprache der in Frankreich entwickelten Gotik von allen Ländern akzeptiert worden, wobei bereits Sonderentwicklungen einsetzten, die sich in der Spätgotik des 14. und 15. Jh. verstärkten. Die Bauten werden allmählich flächiger und geschlossener, die Wände haben trotzdem aber keinen massiven Mauercharakter, sondern wirken wie dünne Ebenen; etwas von Transparenz und Irrationalität bleibt erhalten. Die dekorativen Elemente werden reicher und überspielen mit ihrer oft linearen Abstraktion die körperlosen Flächen. Neben die bisher absolut führende Kirchenbaukunst tritt in steigendem Ausmaß profane Architektur, vor allem des Bürgertums. Die Städte gewinnen eine Bedeutung, wie sie sie seit der Antike nicht mehr gehabt hatten. Insgesamt läßt sich feststellen, daß die reichsten Entfaltungen der Spätgotik in England und Deutschland stattfinden. Frankreich bleibt nach den bahn-

90 Exeter: Kathedrale. Um 1275–1350

91 Palma de Mallorca: Kathedrale. 1298
oder 1300 beg.

findet ihren Höhepunkt in den Palmfächergewölben (→ Decorated Style). – Die Reduktion des Gerüstbaus führte bei der 1298 oder 1300 begonnenen *Kathedrale von Palma de Mallorca* zu gänzlich anderen Ergebnissen einer großen Weiträumigkeit und Flächigkeit (Abb. 91). Das Langhaus nähert sich durch die Höhe der Seitenschiffe (30:40 m) dem Eindruck einer → Hallenkirche, zumal die → Arkaden sehr weit sind und die dünnen glatten → Stützen einen kaum gehinderten Durchblick erlauben. Über den drei Apsiden, die niedriger als das querschifflose Langhaus sind, erheben sich Wände mit großen Rosenfenstern (→ Fensterrose), so daß eine Art von innerer flächiger Schauwand entsteht. – Zu einer verwandten Gestaltung, doch von mehr lagernder Breite, gelangt die Franziskanerkirche *S. Croce in Florenz*, die 1294 oder 1295 be-

brechenden Leistungen des 12. und 13. Jh. verhältnismäßig unproduktiv. – Die spanische Entwicklung ist großartig, aber einseitig. Am ungotischsten behandelt Italien mit wenigen Ausnahmen die Gotik und entwickelt als erstes Land im 15. Jh. eine neue Formensprache der Baukunst, die toskanische Frührenaissance.

Die Zahl der erhaltenen Baudenkmäler ist so groß, daß nur an wenigen, jeweils etwa gleichzeitigen Beispielen ein andeutender Überblick gegeben werden kann. Um 1275–1350 fand der Umbau der normannischen *Kathedrale von Exeter* statt, wobei der »klassische« dreigeschossige Aufbau beibehalten wurde, der wie schon früher keine vertikale Steigerung, sondern eine langgestreckte horizontale Entwicklung zeigte (Abb. 90). Die Auflösung in unzählige Einzelglieder von linearer Schärfe

92 Freiburg: Münster, Turm. 1270–1350

gonnen wurde (Abb. 42). Der Abschluß der Kirche erscheint wie
eine kunstvoll »komponierte« Fläche. Nicht anders steht es, auf das
Äußere übertragen, mit der Westfassade der Zisterzienserkirche
Chorin (1273–1334) in der Mark
Brandenburg (→ Backsteingotik,
Abb. 12). Man kann bei dieser
bildhaften Schauseite durchaus von
einer Komposition sprechen, die
einem ästhetischen Bewußtsein von
»Schönheit« entsprungen ist. Einem
anderen Bewußtsein, dem städtischen Stolzes, entstammt die schön-
ste Einturmfassade Deutschlands
vom *Freiburger Münster* (Abb. 92;
→ Paß, Abb. 169). Der 1270–1350
errichtete Turm ist 115 m hoch
und endet in dem einzigartigen
Kunstwerk des völlig durchbroche-
nen Helmes. – Der gleichen Grün-
dungs- und Bauzeit wie die bisher
erwähnten Beispiele gehört die
französische Sonderleistung des

94 Florenz: Dom S. Maria del Fiore.
1296–1446

Backsteinbaus der *Kathedrale von
Albi* (1282–1390, Abb. 93) an,
einer → Saalkirche von 32 m Höhe
mit nach innen gezogenen → Strebepfeilern.

Das Streben nach Vereinheitlichung und Weite der Räume bei
äußerer Geschlossenheit der Bauten ohne → Strebewerk setzt sich
bis zum Ende der Gotik fort. In
Italien war dies von Anfang an
gegeben. Der 1296 begonnene,
aber erst ab 1357 auf die heutige
Größe gebrachte *Dom S. Maria del
Fiore in Florenz* sollte die Ausmaße der größten gotischen Kathedralen erreichen (Abb. 94; →
Campanile, Abb. 117). Die Höhe
von 41,4 m entspricht ungefähr
der der *Kathedralen von Amiens*
und *Köln*, dringt aber wegen des
Fehlens der Vertikalität und wegen der außerordentlichen Weite
der nur vier Joche nicht ins Be-

93 Albi: Kathedrale. 1282–1390

95 Landshut: St. Martin. 1387–1498

97 Siena: Palazzo Pubblico. 1298–1348

wußtsein. Das Langhaus ist mit einem Ostteil verbunden, der durch seine Dreikonchenform einen gewaltigen Zentralbau darstellt. Die Außengestalt ist vollkommen geschlossen und ohne Strebewerk.

96 Cambridge: King's College Chapel. 1446–1515

– In Deutschland wird diese Raumweite durch die Hallenkirche erreicht, die jetzt bis zum Anfang des 16. Jh. der führende Bautypus ist. Eines der bedeutendsten Beispiele ist der 1387 begonnene Ziegelbau von *St. Martin in Landshut* (Abb. 95). Die glattgeschliffenen Pfeiler sind bei nur 1 m Dicke 22 m hoch. Diese Schlankheit und die Flächigkeit der Wände unterstreichen eine Schwerelosigkeit, die im größten Gegensatz zum *Florentiner Dom* steht. – Für die englische Spätgotik des → Perpendicular Style sei auf die *King's College Chapel in Cambridge* von 1446–1515 verwiesen (Abb. 96).

Unter den → Profanbauten stehen an erster Stelle die Kommunalpaläste des städtischen Bürgertums, worin Italien schon seit dem 12. Jh. vorangegangen war. Zu den künstlerisch vollendetsten gehört der *Palazzo Pubblico in Siena* von 1298–1348 (Abb. 97).

67

98 Venedig: Dogenpalast. 1309–1442

99 Padua: Palazzo della Ragione, »Il Salone«, nach 1420 wiederhergestellt

100 Valencia: Lonja de la Seda (Seidenbörse). 1483–1498

An den mittleren viergeschossigen Teil schließen sich in leichtem Knick Seitenflügel an, die ursprünglich nur zwei Geschosse hatten, so daß Mitteltrakt und Turm sich noch beherrschender erhoben. Die Brechung der Front kommt dem theaterförmig ansteigenden und von hohen Häuserwänden umgebenen Platz entgegen, der zu den schönsten mittelalterlichen Anlagen Europas gehört. Gänzlich anderen Charakters ist der *Dogenpalast in Venedig* von 1309–1442, der einstige Regierungssitz der Stadtrepublik (Abb. 98). Über zwei Arkadengeschossen erheben sich riesige glatte Wandflächen, die nicht wie schwere, lastende Mauermassen, sondern wie fast gewichtslose dünne Ebenen wirken, deren Leichtigkeit durch das teppichhafte farbige

Rautenmuster unterstrichen wird. – Die spätgotische Liebe zur schwerelosen, schwebenden Raumweite ließ im *Palazzo della Ragione in Padua* mit dem »Salone« einen der schönsten Säle der abendländischen Architektur entstehen (Abb. 99). Ursprünglich mehrfach unterteilt, wurde er nach einem Brand von 1420 in der heutigen Form als ein riesiger Raum von ca. 79 : 27 m wiederhergestellt. – Vereinheitlichung und Weite des Raumes im Sinne der deutschen Hallenkirchen kennzeichnet ebenso die 1483–1498 errichtete *Lonja de la Seda* (Seidenbörse) *in Valencia* (Abb. 100), deren gedrehte Säulen sich auch in der deutschen Architektur dieser Zeit finden. Damit ist noch einmal die eine Seite der endenden Spätgotik deutlich in Erscheinung getreten. Die andere ist ihre Schmuckfreude, wie sie im *Rathaus von Löwen* von 1447 bis

101 Löwen: de Layens, Rathaus. 1447 bis 1463

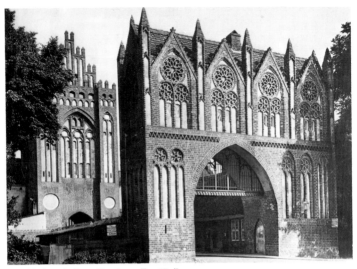

102 Neubrandenburg: Treptower Tor. 15. Jh.

1463 zum Ausdruck kommt (Abb. 101). Der Bau wirkt wie ein gewaltiger Reliquienschrein. Auch im norddeutschen Backsteinbau tritt diese Gesinnung hervor, wie das *Treptower Tor in Neubrandenburg* aus dem 15. Jh. zeigt (Abb. 102). Es dient wohl der Verteidigung, mehr aber noch dem Wunsch, Rechte und Wohlstand der Stadt durch ein Monument würdigen und festlich-schönen Empfanges zu verkörpern.

Dem Nachleben der Gotik im 16. Jh. wird durch die von Italien her eindringende → Renaissance überall ein Ende gesetzt. In der 2. Hälfte des 18. Jh. entsteht in England die → Neugotik, die als einer der wiederbelebten historischen Stile eine große Rolle in der Baukunst des 19. Jh. spielt.

Gotischer Verband → Mauerverband.

Grat Die Schnittstelle zweier → Gewölbe.

Gratgewölbe → Kreuzgratgewölbe.

Griechische Architektur Zwischen 1210 und 1100 v. Chr. eroberten die aus dem Norden kommenden Dorer den Peloponnes und Südwest-Kleinasien, die Ionier setzten sich in → Attika und auf den Inseln fest. Die mykenische Palastkultur nahm ein abruptes Ende, die Zivilisation sank auf primitive Zustände zurück. Die Ausbreitung der Griechen seit dem 8. Jh. und wachsender Wohlstand führten zu einer neuen Kultur. Vom 8.–7. Jh. erfolgte die systematische Besiedlung der kleinasiatischen Küsten durch Ionier und Äolier, vom 8.–6. Jh. fanden die Stadtgründungen auf Sizilien, in Süditalien, Südfrankreich und am Schwarzen Meer statt.

In den Mittelpunkt der architektonischen Bemühungen trat der → Tempel, der aus dem Wohnhaus (→ Megaron) entwickelt wurde. Die Anfänge sind nicht festzustellen, können aber im 9. Jh. angenommen werden. Alle Datierungen vor 600 sind schwierig, da wegen der bis dahin üblichen Bauweise nichts erhalten ist. Die → Cella-Wände wurden über einer Bruchsteinbasis mit Lehmmörtel aus luftgetrockneten Lehmziegeln errichtet und verputzt. Für → Säulen, → Gebälk und → Dach wurde Holz verwendet. → Haustein als Baumaterial trat zugleich mit den ersten Steinskulpturen Ende des 7. Jh. auf. Im Laufe des 6. Jh. wurden alle Holz-Ziegel-Tempel durch steinerne ersetzt.

Der griechische Tempel ist ein rechteckiger Gliederbau mit vertikalen tragenden → Stützen (Säulen) und horizontalen lastenden Teilen (Gebälk) ohne Verwendung von Wölbungen. Die Größenverhältnisse, obwohl variabel, sind durch Konstruktion und Material begrenzt. Innenräume spielen eine geringe Rolle. Die Bauelemente folgen der → dorischen Ordnung, die auf dem Festland und im Westen, oder der → ionischen, die in Kleinasien, auf den Inseln und teilweise in Athen gebräuchlich war. Die dorische Säule hat keine → Basis und ein → Kapitell aus wulst-

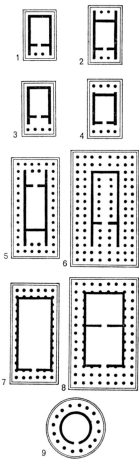

103 *Tempelformen:*
1 Antentempel
2 Doppelantentempel
3 Prostylos
4 Amphiprostylos
5 Peripteros
6 Dipteros
7 Pseudoperipteros
8 Pseudodipteros
9 Tholos (Rundtempel)

71

förmigem Ring (→ Echinus) mit quadratischer Deckplatte (→ Abakus). Die ionische Säule steht auf einer Basis und hat ein Kapitell aus ornamentiertem Polster zwischen zwei schneckenförmig gewundenen → Voluten. Die → korinthische Ordnung entspricht der ionischen, nur daß das Kapitell aus einem Kranz von Akanthusblättern mit aufsteigenden Voluten besteht (vgl. → Abakus, Abb. 1; → Säulenordnungen).

Die Grundform ist der Antentempel (→ Tempelformen): die Längswände werden im Osten über die Cella vorgezogen und zwei Säulen eingestellt, so daß eine Vorhalle (→ Pronaos) entsteht. Erhält auch die Westseite eine derartige Vorhalle (→ Opisthodom), entsteht der Doppelantentempel. Werden vier Säulen vor die Anten gestellt, handelt es sich um den Prostylos, bei Wiederholung im Westen um den Amphiprostylos. Die üblichste Form wurde der Peripteros, bei dem die Säulen um den ganzen Tempel geführt werden. Die Verdoppelung des Säulenumgangs ließ den Dipteros entstehen (Abb. 103). In der Cella, die das Götterbild enthielt und für den Gläubigen unbetretbar war, fand zur Abstützung von → Decke und → Dach eine Unterteilung durch eine mittlere Säulenreihe, meist aber durch zwei statt, die doppelgeschossig angelegt werden konnten. Der Tempel wurde stets auf einen Unterbau von drei Stufen gesetzt. Da der Innenraum nur eine ideelle, aber keine reale Rolle spielt, ist der Tempel so gut wie ausschließlich auf die Außenansicht berech-

net: Er ist ein plastisches Monument. Der → Altar befand sich vor dem Tempel im Freien. Als Schmuck traten Skulpturen in den → Giebeln, → Reliefs in → Metopen und → Friesen, → Terrakotta-Ornamente an → Gesimsen und auf Giebeln und Bemalung hinzu.

Wenn heute jeder Tempel trotz gleichbleibender Grundform durch den jeweils verschiedenen Zustand der Ruine als Individuum erscheint, so liegt das nicht nur an der zufälligen Erhaltung, sondern ebensosehr an den Proportionen, die je verschieden sind und sich auf alles erstrecken: Höhe des Kapitells im Vergleich zur Schaftlänge, Abstände der Säulen untereinander (→ Interkolumnien) und zur Cella-Wand, Höhe des Gebälks zu der der Säulen, Höhen von → Architrav, Fries und Gesims innerhalb des Gebälks, Verdickung der Säulen in der Mitte (→ Entasis) und ihre Verjüngung nach oben, sich leicht hebende Kurvatur des Unterbaus, der das Gebälk folgt, die Innenneigungen der Säulen, die Ecklösungen des Gebälks usw. Das unwandelbare Grundprinzip der Sichtbarmachung von → Stütze und Last im griechischen Tempelbau wurde durch eine derartige Sensibilität der vom menschlichen Körper abgeleiteten Maßverhältnisse belebt, wie sie weder vorher noch nachher aufgetreten ist. Der griechische Geist hat in wenigen Generationen von etwa 600–350 etwas Einmaliges geschaffen, dessen Höhepunkt um die Mitte des 5. Jh. liegt. Was in den drei folgenden Jahrhunderten des Helle-

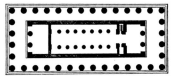

104 Paestum: Poseidon-Tempel. Nach 480 v. Chr. beg. (nach A. W. Lawrence)

nismus bis zur Ablösung durch die → römische Architektur geschah, war oft äußerlich großartiger und dekorativ aufwendiger, erreichte aber in keinem Beispiel die klassische Größe des 5. Jh.

Kurz nach 480 wurde der besterhaltene aller griechischen Tempel begonnen, der *Poseidon-Tempel in Paestum* (Abb. 104, 105), ein dorischer Peripteros mit 6:14 Säulen von 8,88 m Höhe (24, 26:59, 98 m). Die Cella ist durch zwei doppelgeschossige Säulenreihen in drei → Schiffe geteilt. – Gleichzeitig,

etwa 470–450, entstand in Griechenland der dorische *Zeus-Tempel im Kultbezirk von Olympia*, ein Peripteros aus stuckiertem Kalkstein mit 6:13 Säulen von 10,4 m Höhe (27,68:64,12 m). Die dorische Ordnung hat hier ihre akademische Vollendung erreicht. Das vom Architekten gebrauchte Fußmaß betrug 32,6 cm. Die Länge machte demnach 200 Fuß aus, die Säulenhöhe 32, die Interkolumnien 16, der Abakus 8, die Entfernung zwischen den Triglyphenmitten 8, zwischen den → Mutuli unter dem → Geison und den wasserspeienden Löwenköpfen darüber 4. – Anschließend wurde 447 der *Athena-Tempel auf der* → *Akropolis von Athen*, der *Parthenon*, begonnen und 438 geweiht; 432 waren die Skulpturen des Phidias fertig (Abb. 106, 107). Der Peripteros mit 8:17 Säulen von 10,4 m Höhe mißt 30,9:69,5 m. Alle Maße lassen sich

105 Paestum: Poseidon-Tempel, nach 480 v. Chr. beg., mit Basilika, um 550 v. Chr.

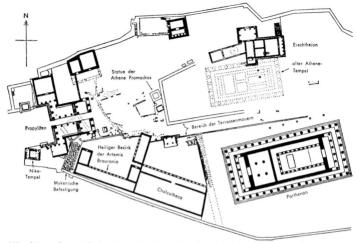

106   Athen: Grundriß der Akropolis. Um 400 v. Chr. (nach A. W. Lawrence)

107   Athen: Akropolis, Parthenon. 447–432 v. Chr.

etwa auf das Verhältnis 4:9 zurückführen. Die vom Osten zugängliche Cella wurde von doppelgeschossigen Säulenreihen unterteilt, der vom Opisthodom zu erreichende Raum von vier wahrscheinlich ionischen Säulen abgestützt. Ein weiteres Element ionischer Ordnung ist der 159,4 m lange Relief-Fries der Panathenäen-Prozession, der um die Cella herumlief. Bei *Parthenon* wurden alle Mittel belebender Verfeinerung so unaufdringlich meisterhaft angewandt, daß sie kaum ins Auge fallen. Die Plattform ist zur Mitte hin konvex gewölbt, das Gebälk folgt dieser Kurvatur; die Säulen sind nach innen geneigt. Diese Präzision der Konstruktion wurde durch die Verwendung von → Marmor ermöglicht, der wohl erstmals am Anfang des 5. Jh. für das kleine *Schatzhaus* der Athener im Kultbezirk von *Delphi* gebraucht wurde. – Aus der hellenistischen Zeit stammt der gewaltige *Apollo-Tempel in Didyma* bei Milet, der Ende des 4. Jh. begonnen wurde und eine Bauzeit von über 300 Jahren erforderte. Der Peripteros (51,13:101,34 m) ruht auf einem siebenstufigen Unterbau. Seine 122

ionischen Säulen sind die größten und schlanksten der griechischen Baukunst, ihre Höhe beträgt 19,7 m.

Neben dem normalen rechteckigen Tempel spielte der Rundtempel (→ Tholos) eine geringe Rolle. Der erste scheint um 550 im Kultbezirk von *Delphi* entstanden zu sein. Ein schönes Beispiel bietet die um 360–320 aus Kalkstein und Marmor errichtete Anlage im Kultbezirk von *Epidaurus* (Abb. 108). Bei einem Durchmesser von 21,82 m umgaben sie 26 dorische Säulen, 14 korinthische standen in der Cella. – Stets mit Kultbezirken in Verbindung standen → Hippodrom, → Stadion und Theater, von denen die ersten beiden keine architektonische Gestaltung fanden. Die Ausbildung des Theaters erfolgte ab Mitte des 5. Jh. Zu den vollkommensten Anlagen gehört das um 350 eingerichtete *Theater* im Kultbezirk *von Epidaurus* (Abb. 109, 110). – Die Kultbezirke vereinigten alle repräsentativen Bauten auf sich. Dazu gehörten die → *Propyläen der Akropolis von Athen,* die 437–432 angelegt wurden, aber unvollendet blieben (Abb. 106, 111). Neben dorischen Säulen, die die

108 Epidauros: Tholos. Um 360–320 v. Chr. Aufriß und Grundriß

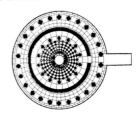

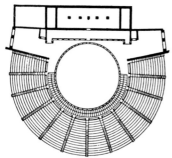

109 Epidauros: Theater. Um 350 v. Chr.

6. Jh. die → Stoa erfunden, jene langgestreckte offene → Halle mit innerer Säulenreihe und geschlossener Rückwand, die den Besuchern einen geschützten Raum zum Aufenthalt und Schlafen bot. Diese Anlage wurde auf die Marktplätze (→ Agora) der Städte übertragen und konnte auch zweigeschossig sein, wie etwa die rekonstruierte *Stoa auf der Athener Agora,* die kurz vor der Eroberung der Stadt durch die Römer im Jahre 136 v. Chr. entstand.

Die griechische Architektur wurde die Grundlage für die Baukunst der → Etrusker und → Römer.

Außenansicht bestimmen, wurden im Durchgang sechs schlanke ionische Säulen verwendet. – Ebenso wurde in den vielbesuchten Kultstätten wohl um die Mitte des

Griechisches Kreuz Kreuz mit vier gleich langen Armen, Grund-

110 Epidauros: Theater. Um 350 v. Chr.

111 Athen: Akropolis, Propyläen. 437–432 v. Chr.

rißform vor allem byzantinischer Kirchen (→ Kreuz, Nr. 1 auf Abb. 159).

Groteske Antikes gemaltes oder stuckiertes Ornament aus Ranken- und Blattwerk mit figürlichen Elementen. Am Ende des 15. Jh. in Rom in unterirdischen Räumen (Grotten) wiederentdeckt, daher die Bezeichnung, und bis ins 18. Jh. verwendet (Abb. 112).

Gründerzeit Reiche Bautätigkeit durch wirtschaftliches Aufblühen in der 2. Hälfte des 19. Jh., in England und Frankreich schon vor 1870, in Deutschland danach (→ Historismus).

Grundriß Maßgerechter horizontaler Schnitt durch ein Bauwerk ohne Höhenangaben.

Gurtbogen Unter einem → Gewölbe angebrachter Querbogen, der sowohl der Verstärkung als auch der Gliederung dient.

Gurtgewölbe Langes → Tonnengewölbe, das durch → Gurtbögen in → Joche unterteilt wird (Abb. 113).

112 Peter Flötner, Groteskes Ornament, Holzschnitt. 1546

113 Santiago de Compostela: Wallfahrtskirche. Um 1078–1128

Guttae (lat. pl. Tropfen) Runde flache Plättchen am → Gebälk der → dorischen Ordnung. Zum Ornament gewordene Restformen vom ursprünglichen Holzbau des griechischen → Tempels (vgl. → Abakus, Abb. 1; → Säulenordnungen).

Gymnasion (griech. gymnos = nackt) Ursprünglich Sportstätte für griechische Knaben, in der klassischen Zeit (5. Jh. v. Chr.) zur allgemeinen Ausbildung erweitert und mit vielen Anlagen und Bauten versehen. Seit dem 16. Jh. als Gymnasium Name für Lateinschulen.

Halbkreisbogen → Rundbogen.

Halbkuppel Halbierte → Kuppel über halbkreisförmigem → Grundriß.

Halbsäule Aus einer Wand oder einem → Pfeiler halb hervortretende → Säule.

Hallenkirche Drei- oder mehrschiffige Kirche, deren → Schiffe ganz oder fast gleich hoch sind, so daß die Belichtung nur durch die Seitenschiffenster erfolgt. Oft fallen → Querschiff und Choraussonderung fort. Die Hallenkirche, schon in der französischen romanischen Baukunst des 12. Jh. (→ Romanik) auftretend, spielte besonders in der deutschen → Gotik seit dem 14. Jh. (→ Sondergotik) eine große Rolle (Abb. 114).

Hallenkrypta Mehrschiffige → Krypta mit gleicher Gewölbehöhe.

Halsgraben → Burg.

Hängekuppel → Kuppel.

114 Soest: St. Maria zur Wiese (Wiesenkirche). 1331–1376

Hängezapfen (Abhängling) Herabhängende Form unter dem → Schlußstein von → Gewölben, besonders in der Spätgotik vorkommend.

Haram → Moschee.

Haustein Ein vor der Verwendung regelmäßig bearbeiteter Naturstein (Gegensatz zu → Bruchstein). Je nach der Bearbeitung heißt er Werkstein (→ Rustika), Bossenstein (→ Bosse) oder → Buckelquader.

Hellenistische Architektur → Griechische Architektur.

Helmdach (Rhombendach) → Dachformen.

Hermenpilaster Männlicher Oberkörper auf nach unten spitz zulaufendem Schaft, besonders seit dem 16. Jh. als stützendes oder schmückendes Architekturglied benutzt (vgl. → Barock, Abb. 36).

Heroon (griech. heros = Held, Halbgott) Heiligtum eines Halbgottes.

Hexastylos → Tempelformen.

Hippodrom Pferderennbahn, ähnlich dem → Stadion, Bestandteil der großen griechischen Kultbezirke wie *Olympia* und *Delphi* (→ griechische Architektur).

Hirsauer Bauschule Geht von dem Schwarzwaldkloster *St. Peter und Paul* (1082–1091) *in Hirsau* aus, das sich der Benediktinerre-

115 Paulinzella: Klosterkirche.
1112–1132

form von Cluny anschloß. Besonders in Thüringen und Sachsen verbreitet. Flachgedeckte → Säulenbasiliken ohne → Krypta und → Emporen mit geradeschließendem → Chor und Nebenchören. Der Chor beginnt als chorus minor mit dem letzten → Joch des → Langhauses; → Vierung und → Querschiff-Arme bilden den chorus major. Zwei Westtürme können sich vor dem → Atrium mit Eingangshalle befinden (Abb. 115).

Historismus Dieser Stilbegriff für die Baukunst vom 3. Jahrzehnt bis zum Ende des 19. Jh., die durch die Nachahmung aller historischen Stile gekennzeichnet wird, ist eine Notlösung. Er müßte bereits der vorhergehenden Periode des → Klassizismus zukommen, der die erste Wiederaufnahme eines historischen Stils bedeutete, wobei gleichzeitig auch schon auf die → Gotik zurückgegriffen wurde (→ Neu-

116 Paris: Labrouste, Lesesaal der Bibliothèque Sainte-Geneviève. 1843–1861

117 London: Kristallpalast. 1850/51 (1936 zerstört)

118 Paris: Sainte-Clotilde. 1846–1857

gotik), die dann während des ganzen 19. Jh. weiter Verwendung fand. Die üblich gewordene Abgrenzung hat aber ihre Berechtigung insofern, als erst jetzt eine Vielfalt von Vorbildern auftritt und durch die schnell zunehmende Bevölkerungszahl und Ausdehnung der Städte zahlreiche neue Bauaufgaben gestellt werden. Dabei setzt eine verhängnisvolle Trennung von Ingenieur und Architekt ein. Was der Ingenieur machte, war keine »Kunst«, die in der öffentlichen Meinung allein dem Architekten vorbehalten war. Alles Konstruktive und Funktionale, das durch die neuen technischen Konstruktionsmöglichkeiten von Eisen und Glas eine große Rolle spielte, mußte verkleidet werden, was bis zur Herstellung »gotischer« Maschinen ging. Ein bezeichnendes Beispiel dafür bietet die *Biblio-*

thèque Sainte-Geneviève in Paris (1843–1861) von Henri-P.-F. Labrouste (1801–1875) (Abb. 116). Die Eisen-Glas-Konstruktion des Lesesaals im Obergeschoß wird von einem steinernen Außenmantel im → Rundbogenstil verborgen. Der großartigste reine Ingenieurbau dieser Zeit war der *Londoner Kristallpalast* von 1850/51, der 1936 durch Feuer zerstört wurde (Abb. 117).

Die Spannweite des Historismus wird deutlich, wenn man zwei gleichzeitig entstandene Kirchen nebeneinander sieht: die »gotische« *Sainte-Clotilde in Paris* von 1846 bis 1857 (Abb. 118) und die »frühchristliche« *Friedenskirche in Potsdam* von 1845–1848 (Abb. 119). Dasselbe gilt für zwei weitere Bauaufgaben der Jahrhundertmitte: für das 1840 begonnene *Londoner Parlament* von Sir Charles Barry (1795–1860) in »englischer Gotik« (Abb. 120) und das *Großherzogliche Schloß in Schwerin* (1844–1857) von G. A. Demmler (1804–1886) in »französischer Renaissance« (Abb. 121), eines der selten gewor-

119 Potsdam: Friedenskirche (erbaut nach Plänen v. L. Persius). 1845 bis 1848 (Aufnahme um 1930)

120 London: Barry, Parlament. 1840 beg.

denen Beispiele fürstlichen Bauwillens. – Einen der Höhepunkte des Ausdrucks öffentlichen Geschmacks und Lebens der zeitgenössischen Gesellschaft stellt die 1861–1874 entstandene *Große Oper in Paris* von J.-L.-C. Garnier (1825–1898) dar (Abb. 122, 123). Dem gesellschaftlichen Leben ist mit einer riesigen Eingangshalle, einem großen Foyer und dem bis zum Dach reichenden Treppenhaus mehr als ein Drittel der gesamten Anlage gewidmet. Stellt man sich diese Räume ohne den maßlosen Eklektizismus ihrer Dekoration vor, würden die Großartigkeit der technischen Konstruktion und die dadurch ermöglichte Neuartigkeit des Raum- und Gestaltdenkens reiner in Erscheinung treten. – Zu den großen neuen Bauaufgaben gehörten Justizpaläste, die die Bedeutung des Rechts als eines Grundpfeilers staatlich-menschlicher Ordnung darzustellen hatten. Den imposantesten Ausdruck fand dieser Gedanke im *Justizpalast von Brüssel,* der 1866–1883 von Joseph Poelaert (1817–1879) errichtet wurde (Abb. 124). Die Stilmischung

des Formenapparates (Eklektizismus) ist erstaunlich: → Barock, → Renaissance, Römisches, Griechisches und selbst Assyrisches sind miteinander verbunden. In der Gesinnung verwandt, wenn auch nicht so reich an Phantasie, ist das *Reichstagsgebäude in Berlin* (1884 bis 1894) von Paul Wallot (1841 bis 1912). Wie auch der Kirchenbau dieser Spätzeit demselben Zwang zu pompöser Aufwendig-

121 Schwerin: Demmler, Großherzogliches Schloß, Südseite. 1844–1857

122

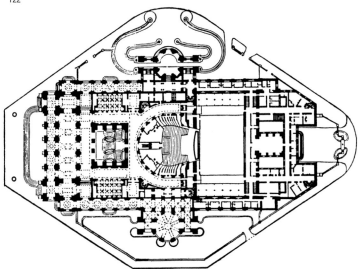

122 und 123 Paris: Große Oper. 1861–1874

keit erlag, zeigt das 1874 bis um 1900 von Paul Abadie (1812–1884) entworfene Monument von *Sacré-Cœur in Paris* (Abb. 125). Seine exponierte Lage auf der Montmartre hat es zu einem Wahrzei-chen der Stadt gemacht, neben dem gleichzeitig für die Weltausstellung von 1889 entstandenen *Eiffelturm,* einer reinen Ingenieur-Konstruk-tion. Das Auseinanderklaffen der beiden Verfahrensweisen in diesem

124 Brüssel: Poelaert, Justizpalast. 1866–1883

Zeitraum kann kaum eindrucksvoller verdeutlicht werden. Eine Überwindung dieses Gegensatzes bahnte sich schon in den amerikanischen → Hochhäusern der 90er Jahre an (vgl. Abb. 126), ebenso wie im → Jugendstil um 1900 und am entschiedensten im → Internationalen Stil des 20. Jh.

Hochhaus (skyscraper, Wolkenkratzer) In den USA am Ende des 19. Jh. entwickeltes vielstöckiges Bauwerk (Abb. 126), das sich nach der Einführung der Stahlskelettkonstruktion bis zur Höhe von mehreren hundert Metern erheben kann *(Welthandelszentrum in New York* von 1970, 382 m).

Hohlkehle Konkaver Teil von → Profilen, im Gegensatz zum → Rundstab.

Hufeisenbogen Über den Halbkreis hinausgehender, unten einge-

125 Paris: Sacré-Coeur (entw. v. P. Abadie). 1874 – um 1900

zogener Bogen, der besonders in der → islamischen Architektur und in der westgotischen Baukunst Spaniens verwendet wurde (→ Bogen, Nr. 2 auf Abb. 43).

Hypäthralräume (griech. hypaithros = unter freiem Himmel) Räume, die sich in den freien Himmel zu öffnen scheinen, durch illusionistische Deckengemälde seit der → Renaissance (Mantegna) und besonders im → Barock gestaltet.

Hypäthros Griechischer → Tempel ohne überdeckte → Cella (vgl. → Tempelformen).

Hypogäum (griech. unter der Erde) Unterirdischer Raum für den Grabkult, besonders bei den Etruskern.

Hypokausten (griech. hypo = unter; kausis = Hitze) Unter dem Fußboden befindliche Räume oder Kanäle des römischen Warmluftheizsystems in Häusern und → Thermen.

Hypostylon (griech. unter den Säulen) Ein Raum, dessen → Dach von → Säulen getragen wird (Säulenhalle).

Ikonostasis (griech. Standplatz des Bildes) Holz- oder Steinwand in griechisch-orthodoxen Kirchen mit drei Türen als Trennung des Allerheiligsten vom Gemeinderaum; die Flächen zwischen den Gliederungsformen sind mit Ikonen ausgefüllt.

Imbrex (lat. imber = Regen) Konvex liegender Hohlziegel zwischen zwei Flachziegeln oder konkav

126 Buffalo/N.Y.: Guaranty Building.
1894–1895

gelegten Hohlziegeln in der griechisch-römischen Baukunst (→ Griechische und → Römische Architektur).

Impluvium (lat. Regenwasserbekken) Viereckiges Becken im → Atrium des römischen Hauses zum Auffangen des durch eine Dachöffnung darüber einfallenden Regenwassers.

Inkrustation Ornamental verwendete Verkleidung von Innen- und Außenwänden mit verschiedenfarbigen Steinplatten, meist → Marmor (vgl. → Baptisterium, Abb. 13).

Intarsia Einlegearbeit von verschiedenfarbigen Hölzern in Holz, wobei Ornamente oder Bilder dargestellt werden können. Bei Ver-

85

127 Alfeld a. d. Leine: Gropius/Meyer, Faguswerke. 1911 beg.

wendung von Elfenbein, Perlmutt und Schildpatt spricht man von Marketerie.

Interkolumnium Säulenabstand, von Achse zu Achse gemessen.

Internationaler Stil Bezeichnung jener funktionsgerechten Architektur des 20. Jh., die auf jede Anlehnung an historische Stile und auf Ornament und Profilierung verzichtet, klare kubische Formen mit großen Fensterfronten bevorzugt und auf symmetrische Anordnung verzichtet. Sie entstand schon vor dem Ersten Weltkrieg mit bahnbrechenden Anlagen wie den *Faguswerken in Alfeld a. d. Leine* (1911 beg., Abb. 127) von Walter Gropius (1883–1969) und Adolf Meyer (1881–1929) und verbreitete sich seit den 20er Jahren zunächst in Mitteleuropa, etwas später auch im übrigen Europa und in Amerika. Ein amerikanischer Vorläufer war Frank Lloyd Wright (1869–1959), der mit dem *Robie-Haus in Chicago* von 1909–1910 (Abb. 128) ein Beispiel weitgehender Freiheit der Anordnung bei strikter Entwicklung aller Bauele-

128 Chicago: Wright, Robie-Haus. 1909–1910

129 Utrecht: Rietveld, Schröder-Haus. 1924

130 Brünn: van der Rohe, Haus Tugend-hat. 1930

mente aus Konstruktion und Funktion gegeben hatte. Was hier noch durch Material und Komposition »malerisch« erscheint, wurde gleichzeitig durch den Wiener Adolf Loos (1870–1933) im *Steiner-Haus in Wien* von 1910 in puritanischer Radikalität verwirklicht. Die abstrakten Ideale der holländischen De Stijl-Bewegung der 20er Jahre, die sich mit den Ideen des 1919 von Gropius gegründeten → Bauhauses und von Le Corbusier in Paris trafen, wurden am konsequentesten von Gerrit Th. Rietveld (1888–1964) im *Schröder-Haus zu Utrecht* von 1924 vertreten (Abb. 129). Ein Meisterwerk der neuen Baugesinnung wurde das 1930 errichtete *Haus Tugendhat in Brünn* (Abb. 130, 131) von Mies van der Rohe (1886–1969), der von 1930–1933 das Bauhaus leitete. Durch seine Emigration und die von Gropius und anderen nach Amerika fanden die Ideen des Internationalen Stiles kräftige Förderung außerhalb Europas. Die Auswirkungen bis heute, oft steril geworden, sind beträchtlich.

Ionische Ordnung Die → Säule ist schlanker als die dorische und steht auf einer → Basis. Der Schaft hat 20–24 → Kanneluren, die durch Stege getrennt sind. Das → Kapitell ist durch zwei → Voluten gekennzeichnet. Der → Architrav wird aus drei übereinanderliegenden und je etwas vorspringenden Balken gebildet. Darüber liegt ein durchlaufender, oft mit → Reliefs geschmückter → Fries (vgl. → Abakus, Abb. 1; → Säulenordnungen).

131 Brünn: van der Rohe, Haus Tugend-hat. 1930

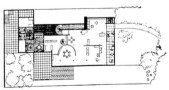

87

132 Cordoba: Omayaden-Moschee, Inneres, Blick von Osten. 785–990

Islamische Architektur

Gleichzeitig mit dem Beginn der abendländischen Kultur im 8. Jh. setzt die Entwicklung der islamischen Kunst ein. Die von Mohammed (um 570–632) gestiftete neue Weltreligion hatte sich innerhalb weniger Jahrzehnte nach dem Tode des Propheten über Syrien, Mesopotamien, den Iran und Ägypten und in einem weiten Siegeszug Anfang des 8. Jh. über ganz Nordafrika und Spanien ausgebreitet und im Osten das Indus-Tal erreicht. Daß die islamische Architektur hier einbezogen wird, läßt sich mit der mehrhundertjährigen Existenz auf europäischem Boden begründen. Die Auswahl der wenigen Beispiele ist dadurch bedingt. 785–790 entstand die erste *Omayaden-Moschee in Cordoba,* die bis 990 mehrfach erweitert wurde, so daß die Bethalle schließlich aus einer unübersichtlichen Zahl von längsgerichteten → Schiffen bestand (Abb. 132). Diese unarchitektonische Form, die jeder monumentalen Baugesinnung entbehrt, hatte sich im 7. Jh. im Orient entwickelt und gleichsam die richtungslose Weite der Wüste in sich aufgenommen.

Ein Orientierungspunkt wird allein durch die Gebetsnische (→ Mihrab) gegeben, die sich stets an der nach Mekka gerichteten Wand (→ Kibla) befindet. Vor der Gebetshalle liegt ein weiter rechteckiger Hof mit dem für die Waschung notwendigen Brunnen und an seinem Eingang das → Minarett, der für den Gebetsrufer (Muezzin) bestimmte Turm. – Ihre großartigste Gestaltung fand die → Moschee nach Jahrhunderten im letzten islamischen Weltreich, dem der Osmanen, die im 14. Jh. zunächst die Herrschaft in Kleinasien errangen und mit der Eroberung Konstantinopels 1453 das byzantinische Reich endgültig auslöschten. Unter dem Eindruck der *Hagia Sophia* (vgl. → Frühchristliche Architektur, Abb. 73) entstanden Bauwerke, die wie die *Moschee Suleimans I.* (Suleymâniye), 1550

133 Istanbul: Moschee des Sultans Suleiman I. (Suleymâniye). 1550–1556

134 Granada: Alhambra, Löwenhof.
14.–15. Jh.

aus der im 14.–15. Jh. errichteten *Alhambra in Granada* (Abb. 134) zu schließen ist, kam diesen Schlössern eine genauso geringe monumentale Form zu wie den Moscheen, dafür aber der reichste Schmuck mit → Stuck-Dekorationen und Fayence-Belag. Der Gedanke an die gleichzeitigen Wohnstätten der abendländischen Fürsten, von Schlössern kann man im 14. Jh. noch nicht sprechen, zeigt die unendliche Überlegenheit der islamischen Zivilisation auf dem Gebiet der Wohnkultur. Es ist zu verstehen, daß spanische Herrscher diese maurische Kunst übernahmen, die als → Mudéjar-Stil noch bis ins 16. Jh. hinein wirksam blieb. Peter der Grausame von Kastilien ließ an Stelle der alten *Almohaden-Residenz in Sevilla* ab 1360 den *Alcazar* errichten, der 1402 vollendet und im 16. Jh. erneuert wurde (Abb. 135). Er weist wie die

bis 1556 von Sinan errichtet, Höhe- und Schlußpunkt der islamischen Sakralarchitektur darstellen (Abb. 133). Noch einmal wird wie gleichzeitig in der abendländischen → Renaissance (vgl. Michelangelos *St. Peter in Rom*) die antik-römische Raumarchitektur aufgegriffen, allerdings in ihrer letzten entmaterialisierten Steigerung, die entsprechend der antimassiven unmonumentalen Gesinnung des Islam aus einem immer noch zelthaften Denken heraus in ihrer Luftigkeit und Transparenz einmalig ist.

Neben den → Sakralbauten ist die wichtigste Bauaufgabe im gesamten islamischen Bereich der prunkvolle Herrscherpalast. Wie

135 Sevilla: Alcazar, Mädchenhof.
1360–1402

136 Barcelona: Gaudi, Casa Milá. 1905–1907

137 Barcelona: Gaudi, Casa Milá. 1905–1907

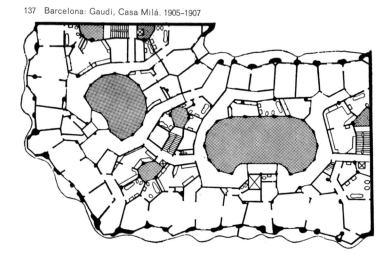

Alhambra die betörende Phantastik einer Dekoration auf, die alle struktiven Elemente verhüllt.

Joch (franz. travée) Der einem Gewölbefeld entsprechende Raumteil.

Jugendstil (Art Nouveau, Modern Style, Stile Liberty) Die Bezeichnung Jugendstil ist von der 1896 gegründeten Münchener Zeitschrift »Jugend« abgeleitet worden und bezog sich zunächst auf das Kunstgewerbe jeglicher Art, ehe sie auf bestimmte architektonische Erscheinungen zwischen 1890 und 1910 übertragen wurde. Das Gemeinsame ist die Abwendung vom → Historismus des 19. Jh., die sich in der Baukunst sowohl in der Ornamentik, soweit sie für Gitter u. a. gebraucht wurde, als vor allem in neuen formalen und konstruktiven Konzeptionen des Bauganzen äußerte. Von einem die beiden Jahrzehnte um 1900 beherrschenden Stil aber kann nicht gesprochen werden, es handelt sich um wenige Architekten und Werke, die vereinzelt in einer Flut immer noch historisierenden Schaffens auftauchen. Für die Entstehung des → Internationalen Stils waren sie teilweise von großer Bedeutung.

Als eigenwilligster Vertreter des Jugendstils kann der phantastische Katalane Antonio Gaudí (1852 bis 1926) betrachtet werden, dessen *Casa Milá in Barcelona* von 1905 bis 1907 (Abb. 136, 137) mit herkömmlicher Baukunst überhaupt nicht mehr verglichen werden kann. Der → Grundriß hat den Charakter eines abstrakten Orna-

138 Brüssel: Horta, Solvay-Haus. 1895–1900

ments, dessen Bewegung sich auf die Außengestalt überträgt, so daß etwas wie eine riesige aus Ton geknetete Plastik entstanden ist. – Demgegenüber wirkt der Belgier Victor Horta (1861–1947) sehr viel gemäßigter, obwohl auch bei ihm eine ornamentale Gestaltung unverkleideter Metallstrukturen in den Interieurs eine große Rolle spielt. Deren Bewegung konnte sich wie im *Solvay-Haus in Brüssel* von 1895–1900 (Abb. 138) auch auf die Fassade auswirken, die in ihrer Verbindung von Mauerwerk und sichtbarer Glas-Eisen-Konstruktion in zurückhaltende Schwingung gerät. – Im Gegensatz zu Horta und Gaudí ist die bewegte

139 Glasgow: School of Art, Nordflügel. 1897–1908

ornamentale Linie bei dem Schotten Charles Rennie Mackintosh (1868–1928) von geringerer Bedeutung. Seine *School of Art in Glasgow* (Nordflügel 1907/08) verbindet mit asymmetrischem Grund- und → Aufriß die Verwendung klarer stereometrischer Bauteile und weitgehend in Fenster aufgelöster Kuben (Abb. 139). Daraus ist eine Komposition kräftiger und zugleich in Proportionen und Behandlung sehr feinfühliger Elemente entstanden. – Die Glasgower Schule hatte Einfluß auf *Wien*, ein wichtiges Zentrum des Jugendstils, wo die *Stadtbahnhöfe* (1894 bis 1901) von Otto Wagner (1841 bis 1918) neben den *Métro-Stationen in Paris* (1898–1901) von Hector Guimard (1867–1942) Höhepunkte des Jugendstils darstellten. Ein Nachklang dieser bewegten Linearität ist bei Wagner noch in den Kurven der Glas-Eisen-Konstruktion im Schalterraum des *Wiener Postsparkassenamtes* von 1904–1906 zu spüren (Abb. 140), der im übrigen aber die außerordentlich schnelle Integration von

140 Wien: Wagner, Postsparkassenamt, Schalterraum. 1904–1906 (Aufnahme 1928)

Technik und Architektur in diesen Jahren zeigt, die in kürzester Zeit zum → Internationalen Stil führte.

Kabinett Kleiner Nebenraum für Besprechungen, zur Aufbewahrung kleiner Kunstgegenstände (Münzk. usw.); kunstvoller Schrank auf Tischgestell mit zahlreichen Schüben und Fächern für Dokumente, Graphik usw.

Kaffgesims → Gesims.

Kaiserpfalz → Pfalz.

Kalefaktorium → Calefactorium.

Kalotte → Kuppel.

Kamin 1. Schornstein. 2. Offene Feuerstelle in einem Raum, die durch Seitenwangen, Sturz- und Abschlußplatte und schräge Ummantelung des Abzuges eingefaßt wird. Die Rahmung (engl. mantelpiece) erhielt seit der → Renaissance oft reiche Gestaltung.

Kämpfer Die Steinlage, auf der ein → Bogen oder → Gewölbe ansetzt (→ Kämpferaufsatz).

Kämpferaufsatz Würfelförmiger oder trapezoider Block zwischen → Kapitell und Bogenansatz (Abb. 141).

141 Kämpferaufsatz auf byzantinischem Korbkapitell

93

142 Freiberg i. Sachsen: Witten (Hans von Cöln), Dom, Tulpenkanzel. Um 1510

Kanephore (griech. Korbträgerin)
→ Karyatide.

Kanneluren (lat. canna = Rohr)
Senkrechte Auskehlungen des Säulenschaftes (vgl. → Griechische Architektur, Abb. 107).

Kanzel (lat. cancelli = Schranken)
Die im 13. Jh. aus → Ambo und → Lettner entwickelte selbständige Form für das Abhalten der Predigt, zumeist an → Säule oder → Pfeiler des → Mittelschiffs angebracht. Über dem Kanzelfuß erhebt sich der Kanzelkorb mit → Brüstung und darüber der Schalldeckel. Kanzeln erfuhren besonders in der Spätgotik und im → Barock reiche plastische und dekorative Verzierung (Abb. 142).

Kapelle (lat. cappa = Mantel)
Abgeleitet von einem kleinen Raum der *Pariser Königspfalz*, in dem seit dem 7. Jh. die Hälfte des Mantels des hl. Martin von Tours aufbewahrt wurde. Kleine selbständige Kulträume in Kirchen, → Klöstern, Schlössern, auch kleine Kirchen ohne Pfarrechte.

Kapellenkranz Um einen → Chor oder → Chorumgang radial angeordnete → Kapellen.

Kapitelhaus (engl. chapter house)
Freistehender → Zentralbau bei englischen Domkirchen an Stelle des sonst in → Klöstern befindlichen → Kapitelsaales. Meist mit einer Mittelstütze und Schirmgewölbe.

Kapitell (lat. Köpfchen) Oberer Abschluß von → Säulen und → Pfeilern in ornamentaler, pflanzlicher oder figürlicher Ausbildung. Die ältesten Formen entstanden in Ägypten als geschlossenes und offenes Papyrosk., geschlossenes und offenes Lotosk. und Palmenk. (vgl. → Ägyptische Architektur, Abb. 2). – Die drei griechischen Hauptformen sind das → dorische, → ionische und → korinthische K. (→ Säulenordnungen; → Abakus, Abb. 1). In der → römischen Architektur entstand aus der Vereinigung der ionischen → Voluten mit dem korinthischen → Akanthus das Kompositk. – Die → byzantinische Architektur entwickelte das trapezförmige Kämpferk. (Trapezk.), wenn gefaltet Faltenk., und das korbförmige Korbk. (vgl. → Kämpferaufsatz, Abb. 141). – Im frühen

Mittelalter entstand das Würfelk. aus der Durchdringung von Würfel und Kugel mit klar umgrenzten Schildfronten, die baugerechteste Form der romanischen K. (vgl. → Hirsauer Bauschule, Abb. 115); das einer umgekehrten Glocke ähnliche Glockenk., das Kelchk. und das figürliche K. – Die → Gotik entwickelte das Knospen- oder Knollenk. mit überhängenden stilisierten Blättern in Volutenform und das Blattk. mit naturähnlichen Blattkränzen.

Kapitelsaal An der Ostseite des → Kreuzgangs eines → Klosters gelegener Versammlungssaal der Mönche.

Kappe Der zwischen zwei → Graten oder → Rippen befindliche Teil des → Gewölbes.

Karner (Beinhaus) Meist als → Zentralbau errichtete Friedhofskapelle mit einem Untergeschoß zur Aufbewahrung von Gebeinen.

Karnies (griech. koronis = gekrümmt) Mit S-förmig geschwungenem → Profil ausgebildete Leiste am → Gesims (steigender K.) oder an der → Basis (fallender K.).

Karolingische Architektur Unter Karl dem Großen (768–814) und seinen nächsten Nachfolgern bis gegen Ende des 9. Jh. entstanden seit dem 5.–6. Jh. erstmals wieder Bauten, die an Größe und Bedeutung die spätrömisch- → frühchristliche Architektur zu erreichen versuchten. Karl trat bewußt das Erbe Konstantins des Großen an (»Ka-

rolingische Renaissance«), um sein fränkisches »Weltreich« als Fortsetzung des römischen gelten zu lassen und es ebenbürtig dem byzantinischen Kaiserreich zur Seite zu stellen. Die monumentale Bautätigkeit, die als Beginn der eigentlichen abendländischen Architektur betrachtet werden kann, beschränkt sich auf Kirchen, → Klöster und → Kaiserpfalzen. Städtische Aufgaben gab es nicht, da Städte den Germanen zunächst noch fremd blieben.

Zu jeder → Pfalz gehörte eine *Hofkapelle.* Erhalten ist die von *Aachen,* der Lieblingsresidenz des Kaisers, die 798 im Rohbau fertig war und 805 von Leo III. geweiht wurde (Abb. 143, 144). Vorbild für diesen → Zentralbau war *S. Vitale in Ravenna* (→ Frühchristliche Architektur, Abb. 70,

143 Aachen: Hofkapelle Karls des Großen. Um 792–805

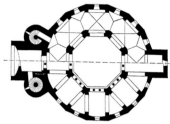

144 Aachen: Hofkapelle Karls des Großen. Um 792–805

71), von dem er sich durch größere
Schwere und Kompaktheit aber erheblich unterscheidet. Wenn der
Kaiser hier → Spolien aus *S. Vitale* verwenden ließ, so geschah das
nicht auf Grund eines Raubzuges
oder wegen mangelnder einheimi-
scher Fertigkeit, sondern aus Ver-
ehrung für Theoderich, den er als
ersten germanischen König als seinen Vorgänger betrachtete. Ebenso
hatten die aus Rom nach Aachen
gebrachten Spolien die Bedeutung
des Anschlusses an das römische
Kaiserreich. Die → Doppelkapellen
der → Romanik setzten die Tradition der karolingischen Hofkapelle bis ins 13. Jh. fort. – Auch
die → Pfalzen richteten sich nach
antiken Vorbildern, von denen
Kaiserpaläste und vor allem großartige und weitläufige Villenan-

145 Ingelheim: Kaiserpfalz, Modell

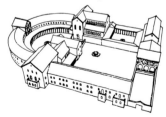

lagen aus spätrömischer Zeit auf
fränkischem Boden noch in zahlreichen Resten vorhanden waren.
Keine der Pfalzen ist erhalten,
einige aber sind zu rekonstruieren,
mag auch wie bei *Ingelheim* (nach
788–819) das Modell nicht in allen
Teilen richtig sein (Abb. 145). Im-
merhin zeigt es die großzügige
Ordnung und den Wunsch nach
würdiger Repräsentation. Wohl

147 Saint-Riquier (Centula) bei Amiens:
Klosterkirche. Zeichnung und Grundriß

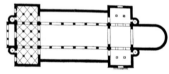

ebenfalls für den Herrscher bestimmt war die Torhalle des *Klosters Lorsch* von 767–774 (Abb.
146), die mit ihren drei tonnen-
gewölbten Durchgängen, den korinthischen → Halbsäulen und
ionischen → Pilastern wahrscheinlich auf den Eingangsbau von *Alt-
St. Peter* und letztlich auf das Motiv des römischen → Triumph-
bogens zurückgeht.

Beim Kirchenbau setzte sich erst
jetzt als Normalform, die für die
Zukunft bestimmend blieb, die

146 Lorsch: Torhalle des Klosters. 767–774

dreischiffige → Basilika mit öst-
lichem → Querschiff durch, also der
→ Grundriß des → lateinischen
Kreuzes. Dabei traten sofort neu-
artige Erfindungen wie das →
Westwerk auf. Es läßt sich gut
rekonstruieren in der *Klosterkirche
von Saint-Riquier (Centula) bei
Amiens*, die unter Abt Angilbert
III. (790–814), einem Vertrauten

Karls, errichtet wurde (Abb. 147).
Es ist ein selbständiger Bau, der
mit der Basilika nur durch eine
untere Durchgangshalle und durch
→ Arkaden im Obergeschoß verbunden ist, und diente dem Kaiser
wahrscheinlich als eine Art von
Hofkapelle. In der Außenansicht
aber wirkt es wie ein westliches
Querschiff, das östliche auch mit

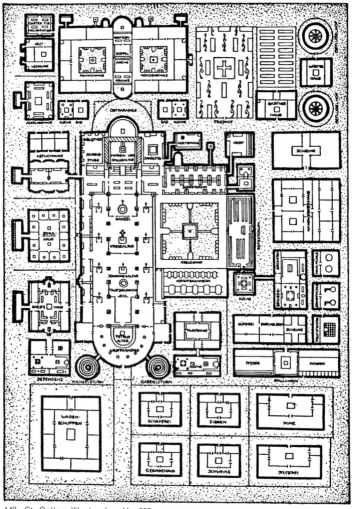

148 St. Gallen: Klosterplan. Um 820

dem Vierungsturm und Treppen-
türmchen wiederholend, so daß
statt der eindeutigen Längsgerichtetheit der üblichen Basilika eine
reichgegliederte Ausgewogenheit
entsteht. Türme tauchen jetzt zum
ersten Mal an Kirchen auf. Der
Turmreichtum und das Gleichge-

wicht von Ost und West fanden reiche Nachfolge, vor allem in der deutschen → Romanik bis zum 13. Jh., auch nachdem Westwerke, die nur bis zum 11. Jh. noch gelegentlich angelegt wurden, bereits verschwunden und durch mächtige Westbauten ohne eigene → Kapelle ersetzt worden waren. – Dieses Gleichgewicht wurde auch durch eine andere Erfindung der karolingischen Zeit gewährleistet: durch die Doppelchörigkeit. Sie war zwar schon im 4. Jh. in Nordafrika bekannt, wird aber kaum von dorther übernommen worden sein. Eher ist an die Wirkung von *St. Peter in Rom* zu denken, das → Apsis und → Querschiff im Westen hatte, und an das Bedürfnis nach zwei Kirchenpatronen und damit nach zwei Hauptaltären. In der Kirche des *Klosterplans von St. Gallen* um 820 (Abb. 148) wurden im Westen Petrus und im Osten Paulus verehrt. Im *Kölner Dom* von 817 bis 870 waren der Westchor ebenfalls Petrus, der Ostchor Maria geweiht. – Der Pergamentplan von *St. Gallen* zeigt ferner, daß jetzt für Klöster eine durchdachte Planung von übersichtlicher Klarheit entwickelt worden ist, die für die Zukunft im allgemeinen maßgebend blieb. Im Westen liegt der weltliche Bezirk mit Werkstätten usw., nach Osten zu folgen Kirche und Kloster. Der → Kreuzgang liegt im Süden der Kirche (vgl. → Kloster). Östlich der Kirche im stillsten Bezirk waren der Friedhof, die Novizenschule, das Krankenhaus und eine kleine, zugleich für Kranke und Novizen bestimmte Doppelkirche geplant.

Kartause (ital. Certosa) → Kloster von Kartäusermönchen, die jeder am → Kreuzgang ein einzelnes Häuschen mit Garten bewohnen. Gemeinsam sind → Kapitelsaal und Kirche.

Kartusche Aus Roll- und Knorpelwerk gebildeter Rahmen, der eine Fläche mit Inschrift oder Wappen umgibt. Besonders im → Barock als Zierform über Toren oder Fenstern beliebt.

Karyatide (Kore) Gebälktragende weibliche Gewandfigur (Abb. 149) anstelle von → Säule oder → Pfeiler (vgl. → Atlant).

Kasematte Durch starke Mauern, → Gewölbe und Erdaufschüttung gesicherte Räume in → Festungen für Besatzung, Kanonen und Munition.

149 Delphi: Museum, Schatzhaus der Siphnier. Um 525 v. Chr.

150 Berlin: Langhans, Brandenburger Tor. 1789–1794

Kassette Durch Überkreuzung von Balken und Gewölbegurten entstehende Vertiefung, die meist ornamentiert ist. An griechischen → Tempeln, in der → römischen Architektur und dann seit der → Renaissance verwendet.

Kastell (lat. castellum) Befestigtes römisches Truppenlager (→ Castrum), Bezeichnung auch für → Burg und → Festung.

Katakombe Unterirdische Begräbnisstätte, vor allem für die Christen in Italien und Nordafrika vom 2.–4. Jh. Oft in mehreren Geschossen untereinander angelegt, mit rechteckigen Grabnischen (loculi) in den Wänden, die durch Steinplatten geschlossen wurden. In den Katakomben befinden sich die ältesten christlichen Malereien.

Kathedra (griech. Sitz) Bischofsstuhl in der → Kathedrale, ursprünglich in der → Apsis befindlich, später seitlich links vor dem → Altar.

Kathedrale Bischofskirche, nach dem Bischofssitz (→ Kathedra) benannt (→ Dom).

Kegeldach → Dachformen.

Kehlbalkendach → Dachkonstruktionen.

Kemenate Das heizbare Frauengemach der mittelalterlichen → Burg.

Kenotaph (griech. leeres Grab) → Denkmal für Tote, die an anderer Stelle beigesetzt sind, meist für gefallene Soldaten.

Kielbogen → Eselsrücken.

Klassizismus Gegen Spätbarock und Rokoko, deren Schöpfungen als verspielt und verlogen empfunden wurden, entstand in der 2. Hälfte des 18. Jh. eine Baukunst, die sich nicht mehr aus der abendländischen Tradition seit der → Renaissance entwickelte, sondern über Jahrtausende hinweg auf die klassische griechische Kunst zurückgriff, die gerade erst entdeckt worden war (dorische → Tempel auf Sizilien und in Paestum). Damit sollte gemäß Winckelmanns Formulierung von »edler Einfalt und stiller Größe« die Gesinnung einer neuen Ethik und Rationalität verwirklicht werden (Wirkung der Aufklärung). Gegenüber den lebendig bewegten, reich gegliederten und dekorierten Baukörpern (Organismen) von Renaissance und → Barock wird alles auf die einfachsten und schmucklosen Grundformen von Raum,

Wand und Decke zurückgeführt, die die Reinheit der Idee garantieren (Abstraktionen). Dieser Klassizismus bestimmte die Zeit von 1780–1830, war aber auch während des folgenden → Historismus noch wirksam und erfuhr im → Neuklassizismus des 20. Jh. eine Art von Wiederbelebung.

Ein frühes Beispiel der neuen Gesinnung stellt das *Brandenburger Tor in Berlin* (1789–1794) von Carl Gotthard Langhans (1732 bis 1808) dar (Abb. 150). Vorbild waren nicht mehr die römischen → Triumphbögen, sondern die *Propyläen der Athener → Akropolis* (→ Griechische Architektur, Abb. 111). Das Tor steht mit den seitlichen → Tempeln der Wachtgebäude in einer Verbindung, die nicht mehr gelenkhaft, sondern wie Scharniere wirkt. Die Teile sind funktional aneinandergefügt, nicht organisch auseinander entwickelt. Die Einheit liegt in einer gleichsam abstrakten Symbolkraft.

151 Paris: Ledoux, Barrière de la Vilette. 1784–1789

152 Gilly, Entwurf zum Denkmal Friedrichs des Großen in Berlin. 1797

– Radikaler war gleichzeitig die französische »Revolutionsarchitektur«, deren Hauptvertreter L.-E. Boullée (1728–1791) und C.-N. Ledoux (1736–1806) der Generation von Langhans angehörten. Die meisten ihrer Ideen blieben Entwurf und waren auch kaum ausführbar. Unter den verwirklichten Bauten ist die *Barrière de la Vilette in Paris* (1784–1789) von Ledoux bezeichnend für die Strenge des neuen Geistes (Abb. 151). Einem flachen Quadrat werden vier Pfeilerfronten vorgesetzt und ein arkadengeöffneter Zylinder aufgestülpt. Alle Öffnungen sind ohne modellierende Rahmungen hart in die Wände geschnitten. – Anregungen der französischen Revolutionsarchitektur sind in den 1797 entstandenen Entwurf von Friedrich Gilly (1772–1800) für das nicht ausgeführte *Denkmal Friedrichs des Großen* auf dem Leipziger Platz *in Berlin* eingegangen (Abb. 152). Außerdem sind Einflüsse der → ägyptischen Architektur wirksam, die nicht nur in den → Obelisken in Erscheinung treten, sondern auch in den ornamentlosen starren Blöcken der unteren Zone mit den eingestellten Säulenhallen, die zur Toten- und Unterwelt des → Mausoleums führen, während der griechische

153 London: Soame, Dulwich College, Picture Gallery. 1811–1814

154 Berlin: Schinkel, Schauspielhaus. 1818–1821 (zerstört)

Tempel in der Höhe den hellen und unsterblichen Geist veranschaulicht. Kein christliches Symbol ist mehr vorhanden. Die umstürzende Abwendung von aller abendländischen Tradition wird geradezu programmatisch deutlich. – Eine noch asketischere Baugesinnung, die auf das 20. Jh. vorausweist, vertritt der Engländer Sir John Soame (1752–1832) in der *Dulwich Gallery bei London* von 1811 bis 1814 (Abb. 153). Bei dieser Zusammenfügung von starren Baublöcken mit hart aufgesetzten oder eingeschnittenen Formen ist sogar selbst auf die griechische Antike verzichtet worden.

Der wohl bedeutendste und wirksamste Architekt des vollendeten Klassizismus war Karl Friedrich von Schinkel (1781 bis 1841). Sein *Berliner Schauspielhaus* von 1818–1821 (Abb. 154) vereint mit den repräsentativen Ausdrucksträgern der griechischen Tempelfront und der → Giebel eine neue Funktionalität der Bauteile, die als stereometrische und weitgehend durchfensterte Gebilde zusammen-

155 London: Smirke, British Museum. 1824–1847

156 Philadelphia: Strickland, Merchant's
Exchange (Börse). 1832–1834

gestellt werden. Die trennenden
Fensterbalken erwecken nicht den
Eindruck stehengebliebener Wand-
reste in der Form von Pfeilern,
sondern erscheinen wie einzelne
präformierte Teile, die je nach Be-
darf verwendet werden. – Als
einer der Höhepunkte der »klassischen« Phase des europäischen
Klassizismus kann unter vielen anderen gleichwertigen Beispielen das
1824–1847 errichtete *British Museum in London* von Sir Robert
Smirke (1781–1867) betrachtet
werden (Abb. 155). Die eine große
Rolle spielenden Bauaufgaben von
Museen und Theatern waren als
»Kunsttempel« für die Adaptation
der griechischen Antike besonders
geeignet. Aber auch Börsen wurden als Tempel gebaut, wofür der
1832–1834 entstandene *Merchant's
Exchange in Philadelphia* von
William Strickland (1788–1854)
als Beispiel dienen kann (Abb.
156). Der Klassizismus hatte sich
in Amerika schnell ausgebreitet. – Erwähnt sei auch noch seine Bedeutung für *Petersburg (Admiralität
und Börse).*

Klausur (lat. Verschluß) Der für
Laien nicht zugängliche Wohnbe-
reich der Mönche in einem →
Kloster.

Kleeblattbogen Bogen mit Drei-
paß-Schluß (→ Dreipaß; vgl. →
Bogen, Nr. 3 auf Abb. 43).

Klinker → Backstein, der sich
durch starke Hitze beim Brennen
mit einer Glasurschicht überzogen
hat und besonders widerstands-
fähig ist.

Kloster (lat. claustrum = das Ver-
schlossene) Anlage für das mön-
chische Leben, das von Ordens-
regeln bestimmt wird, die der hl.
Benedikt im 6. Jh. für Monte Cas-
sino verfaßt hat und die im
Grunde bis heute gültig sind. Im
Klosterplan von St. Gallen (vgl.
→ Karolingische Architektur, Abb.
148) ist das Schema der Anlage,
wie es für Jahrhunderte maßgebend blieb, bereits voll entwickelt.
An die Südseite der Kirche schließt
sich die → Klausur mit dem
Kreuzgang an. Auf der Ostseite
des Kreuzganges liegt der → Kapitelsaal und darüber das → Dormitorium. Im Südflügel befindet
sich der Speisesaal (→ Refektorium) und häufig das → Calefactorium. Der Westflügel enthält die
Wirtschaftsräume. Wohnung des
Abtes, Schule, Krankenhaus und
weitere Wirtschaftsbetriebe liegen
außerhalb der Klausur. Im → Barock wurden von diesem Plan ab-
weichende, meist symmetrisch geordnete schloßartige Anlagen errichtet. Sonderformen stellten die
→ Kartausen und die → Ordensburgen dar.

Klosterdach → Dachdeckung.

Klostergewölbe Bei polygonalen → Zentralbauten können gekrümmte Gewölbeflächen unmittelbar auf den Mauern aufsitzen und → Grate bilden, konstruktiv einer → Kuppel ähnlich.

Knagge Holzkonsole zur Unterstützung eines auskragenden Balkens.

Knickgiebel → Giebel.

Knorpelwerk Symmetrisches geschnitztes oder stuckiertes Ornament des 17. Jh. aus knorpeligen Formen, besonders in Deutschland und den Niederlanden verbreitet (→ Ohrmuschelstil).

Knotensäule → Säule.

Kollegiatskirche → Stiftskirche.

Kolonialstil → Colonial Style.

Kolonnade Säulenreihe mit geradem → Gebälk an Plätzen und Höfen, aber auch als selbständige Anlage (vgl. → Barock, Abb. 19).

Kolossalordnung Zusammenfassung mehrerer Stockwerke durch → Halbsäulen oder → Pilaster, von Michelangelo und Palladio in der → Renaissance entwickelt (Abb. 157).

Kolumbarium → Columbarium.

Kompositordnung Vereinigung der drei griechischen → Säulenordnungen zur Fassadendekoration in der → römischen Architektur, wobei die → dorische Ordnung für das Erdgeschoß, die → ionische für das erste Obergeschoß und die → korinthische für das zweite Obergeschoß verwendet wurden.

157 Rom, Kapitol. 1538–1654

158 Asturien: S. Maria de Naranco. Um 750

Konche (griech. concha = Muschel) Halbrunde Nische mit → Halbkuppel (→ Apsis, → Dreikonchenanlage).

Konfessio → Confessio.

Königsgalerie Eine Reihe von biblischen, sagenhaften und historischen Königsstandbildern in Nischen und unter → Baldachinen an französischen gotischen Kathedral-Fassaden.

Königshalle Germanische Versammlungshalle im Obergeschoß eines Gebäudes mit Außentreppen an den Langseiten und offenen → Loggien an den Schmalseiten, wie sie in einem westgotischen Bau des 8. Jh. erhalten ist (Abb. 158). Der → Palas der → Kaiserpfalzen geht darauf zurück.

Konsole Aus der Mauer vorspringender Tragstein, der als → Stütze für → Bögen, → Gesimse,

Balken u. a., aber auch als → Träger von Büsten und Figuren dient.

Konterescarpe → Festung.

Korbbogen Gedrückter, aus mehreren Kreisbogenstücken zusammengesetzter Bogen (→ Bogen, Nr. 5 auf Abb. 43).

Kore → Karyatide.

Korinthische Ordnung Entspricht im allgemeinen der → ionischen Ordnung, von der sie sich nur durch größere Schlankheit und durch das Kapitell unterscheidet, das aus → Akanthus-Blättern gebildet ist (vgl. → Abakus, Abb. 1; → Säulenordnungen).

Krabbe (Kriechblume) Aus Stein gemeißeltes bewegtes Blatt an Kanten von → Giebeln, → Fialen, → Wimpergen u. a. der spätgotischen Baukunst.

Kraggewölbe (Kragkuppel) Sogenanntes falsches → Gewölbe, bei dem die horizontal lagernden Steinschichten nach oben vorkragen.

Kranzgesims → Gesims.

Kratzputz → Sgraffito.

Kretische Architektur → Minoische Architektur.

Kreuz Alte Symbol- und Zierform. Kreuzformen: 1. → Griechisches K., 2. → Lateinisches K., 3. Antoniusk., 4. Andreask., 5. Doppelk., 6. Gabelk., 7. Malteser-,

Johannes-K., 8. Kleeblattk., 9. Lothringisches K., 10. Päpstliches K. (Abb. 159). – Das griechische Kreuz wurde die führende Grundrißform für byzantinische, das lateinische Kreuz für abendländische Kirchen.

Kreuzblume Stilisierte Blume mit kreuzförmig angeordneten Blättern (→ Krabben) an der Spitze von gotischen Türmen, → Fialen, → Wimpergen u. a.

Kreuzbogenfries Aus sich überschneidenden → Rundbögen gebildeter Fries in der mittelalterlichen Architektur (→ Fries, Nr. 8 auf Abb. 61).

Kreuzgang Die in → Arkaden geöffneten Gänge um den Hof eines → Klosters.

Kreuzgewölbe (Kreuzgratgewölbe) Aus der Durchdringung zweier

159 *Kreuzformen:*

1 Griechisches Kreuz
2 Lateinisches Kreuz
3 Antonius-Kreuz
4 Andreas-Kreuz
5 Doppelkreuz
6 Gabelkreuz
7 Malteser-, Johanneskreuz
8 Kleeblattkreuz
9 Lothringisches Kreuz
10 Päpstliches Kreuz

gleich großer → Tonnengewölbe entstehendes → Gewölbe, wobei sich → Grate bilden.

Kreuzkuppelkirche Ein über dem → Grundriß des → griechischen Kreuzes errichteter → Zentralbau, dessen Mittelraum von einer größeren → Kuppel überdeckt ist, während die vier Arme kleinere Kuppeln oder auch → Tonnengewölbe tragen. Vor allem in der → byzantinischen Architektur verwendete Form (vgl. → Frühchristliche Architektur, Abb. 74).

Kreuzrippengewölbe Verstärkung der → Grate des → Kreuzgewölbes durch → Rippen, die die Lasten aufnehmen und vor der Einschalung der → Kappen errichtet werden. Dadurch konnte der notwendig quadratische → Grundriß des Kreuzgewölbes aufgegeben werden. Das K. war für die Entstehung und Entwicklung der → Gotik die entscheidende Konstruktionserfindung.

Kreuzverband → Mauerverband.

Kriechblume → Krabbe.

Krüppelwalmdach → Dachformen.

Krypta (griech. kryptein = verbergen) Meist unter dem → Chor liegender unterirdischer Raum für die Aufbewahrung von Reliquien oder Bestattung von Märtyrern und Heiligen. Anfänglich durch unterirdische, mit Sichtöffnungen versehene Stollen erschlossen, die der → Apsis-Rundung folgend auch ringförmig angelegt wurden.

160 Giovanni Paolo Pannini, Das Innere des Pantheons in Rom. Um 1750 (Washington, National Gallery of Art)

In der → Romanik entwickelte sich die → Hallenkrypta, die oft bis unter das → Querschiff reichte und so hoch werden konnte, daß der Chor erheblich über dem Niveau des → Langhauses lag. In der → Gotik verschwindet die Anlage von Krypten.

Kuppel Flach-, halb- oder spitzkugelige Überwölbung eines Raumes auf kreisrunder Basis. Die einfachste Form ergibt sich bei zylindrischem Unterbau (*Pantheon in Rom*, Abb. 160). – Bei der Hängekuppel oder Böhmischen Kappe umschreibt der gedachte Fußkreis der K. ein Quadrat; die über die Quadratseiten herausragenden Kugelsegmente sind als weggeschnitten zu denken (Abb. 161 oben). – Bei der Trompenk. ist der Fußkreis der K. dem Quadrat eingeschrieben, dessen gekappte Ecken mit halbhohlkegelförmigen Gewölbeteilen (Trompen) ausgemauert werden, so daß ein → Oktogon entsteht (Abb. 161 unten). – Bei der Pendentifk. ist der Fußkreis der K. ebenfalls dem Grundrißquadrat eingeschrieben, dessen Ekken aber nicht gekappt, sondern mit sphärischen Dreiecken (Pendentif oder Hängezwickel) überwölbt werden, so daß das Quadrat in einen Kreis überführt wird, auf dem die Halbkugel aufsitzt (Abb. 161 Mitte). – Die Kalotte ist eine niedrige, aus dem abgeschnittenen oberen Stück einer Halbkugel gebildete K.

Zur Überhöhung des Raumes kann ein zylindrischer Tambour, meist mit Fenstern, zwischen Unterbau und Wölbung eingeführt werden. Oft wird der K. über einer Scheitelöffnung eine → Laterne aufgesetzt.

Kurtine → Festung.

Kymation (griech. Welle) Zierleiste aus stilisierten Blattornamenten an antiken → Tempeln (→ Eierstab, → Lesbisches K.).

Labyrinth Von dem minoischen *Palast zu Knossos* (Haus der Doppelaxt = labrys; → Minoische Architektur, Abb. 162) abgeleitete Bezeichnung. Ein unübersichtlicher Irrgang mit schwer zu findendem Ausgang, als geometrisches Muster in den *Kathedralen von Chartres, Sens* und *Amiens* verwendet, vom 16.–18. Jh. als Boskett in allen größeren Parks angelegt.

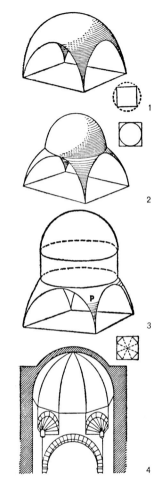

161 *Kuppelformen:*
1 Hängekuppel, Stutzkuppel oder »böhmische Kappe«,
2 Kuppel über Hängezwickeln (Pendentifs), byzantinische Kuppel,
3 Kuppel über Trommel und Hängezwickeln (Renaissance-Kuppel),
4 Achtteiliges Klostergewölbe über Trompen (romanische Kuppel)

Laibung Innere Mauerflächen an Tür- und Fensteröffnungen.

Langhaus Teil der Kirche zwischen Fassade und → Querschiff oder → Chor.

Längsschnitt Zeichnerische Wiedergabe von Raumfolge und Wandaufbau eines in der Längsachse durchschnitten gedachten Bauwerks, meist von Kirchen.

Lanzettbogen Sehr schlanker gotischer → Spitzbogen, besonders häufig in England (→ Bogen, Nr. 7 auf Abb. 43).

Lateinisches Kreuz Kreuz mit langem Vertikal- und kurzem Querbalken, vorherrschende Grundrißform des mittelalterlichen Kirchenbaus (→ Kreuz).

Laterne Runder oder polygonaler, durchfensterter und überkuppelter Aufbau, meist über der Scheitelöffnung einer → Kuppel (vgl. → Barock, Abb. 14).

Laufender Hund (Wellenband) Antikes Ornament in Form eines wellenförmigen Spiralbandes (→ Fries, Nr. 1 auf Abb. 61).

Läufer Der im Backsteinbau so versetzte Stein, daß dessen Langseite sichtbar ist (im Gegensatz zum → Binder).

Läuferverband → Mauerverband.

Lesbisches Kymation Antike Zierleiste mit herzförmigen Blättern.

Lesene → Lisene.

Lettner (lat. lectorium = Lesepult) Niedrige Wand zwischen → Chor und → Querschiff in → Dom-, → Kloster- und → Stiftskirchen zur Trennung der Räume für Geistliche und Laien, mit einem oder zwei Durchgängen versehen und einer Tribüne für die Verlesung der Evangelien. Auf der Westseite befand sich meist der Laienaltar. Reichste Entwicklung in der → Gotik, später meist überall abgetragen und durch → Kanzel und → Chorgitter ersetzt.

Lichtgaden → Obergaden.

Lisene (Lesene) Senkrechte vorstehende Mauerstreifen ohne → Basis und → Kapitell, durch → Blendbögen verbunden. Von der → frühchristlichen Baukunst Ravennas in der → Romanik übernommen.

Liwan → Islamische Architektur, → Medrese, → Moschee.

Loculus Grabnische (→ Katakombe).

Loggia Offene Säulenhalle in oder vor einem Gebäude, aber auch selbständig bestehend (*Loggia dei Lanzi in Florenz*).

Louis-quatorze Französischer → Barock unter Ludwig XIV. (1643 bis 1715).

Louis-quinze Französisches Spätbarock (Rokoko) unter Ludwig XV. (1723–1774).

Louis-seize Übergangsstil zum → Klassizismus unter Ludwig XVI. (1774–1792).

Lukarne Geschoßhohes Dachfenster mit eigener architektonischer Gliederung.

Lünette (franz. lunette = kleiner Mond) Halbkreisförmiges, meist dekoriertes Wandbogenfeld über Tür oder Fenster.

Mäander Mehrfach rechteckig gebrochenes Zierband der griechischen Antike, nach dem kleinasiatischen Fluß Maiandros benannt (→ Fries, Nr. 2 auf Abb. 61).

Madrase → Medersa.

Manierismus → Renaissance.

Mansarddach → Dachformen.

Mantelpiece → Kamin.

Marienkapelle Die etwas größer ausgebildete Scheitelkapelle im → Kapellenkranz französischer gotischer → Kathedralen. In England als Lady Chapel oft wie ein eigener Bau hinter dem Chorhaupt ausgesondert.

Marketerie → Intarsia.

Marmor Körnig-kristalliner Kalkstein, je nach den Mineral-Beimengungen von den verschiedensten Farben; von reinstem Weiß der parische M. in Griechenland. Seit der Antike in Baukunst und Bildhauerei gern und häufig benutztes Material.

Martyrium In der → frühchristlichen Architektur Grabbau oder Kirche eines Märtyrers.

Massivbau Bauweise, bei der Raumabschluß und Konstruktion identisch sind (Gegensatz: → Skelettbau).

Maßwerk Das mit dem Zirkel ausgemessene geometrische Bau-Ornament der Gotik. Anfangs für die Aufteilung der Bogenspitzen großer Fenster entwickelt, diente es später auch der Gliederung von Wandflächen, → Giebeln usw. und wurde immer reicher und komplizierter. Grundformen sind der → Paß, das → Blatt und die → Fischblase (Schneuß), die vervielfacht zusammengesetzt wurden.

Mastaba (arab. Bank) Grabform des ägyptischen Alten Reiches (2778–2200 v. Chr.). Auf rechteckigem Grundriß ein massiver Ziegel- oder Steinhügel mit geböschten Wänden, der einen tiefen senkrechten Schacht zur Grabkammer enthält (→ Ägyptische Architektur).

Mastenkirche → Stabkirche.

Mauerverband Verbindungsart gleichgeformter → Backsteine je nach Verlegung mit Langseiten und/oder Schmalseiten (→ Läufer, → Binder). Beim Läuferverband werden nur Läufer verlegt; beim Binderv. nur Binder; beim Blockv. wechselnd eine Schicht Läufer und Binder; beim Kreuzv. ebenfalls, nur ist jede zweite Läuferschicht um einen halben Stein versetzt;

beim gotischen V. wechseln Binder und Läufer in jeder Schicht; beim holländischen V. wird jeweils eine Binderschicht in den gotischen V. eingeschoben; beim englischen V. werden mehrere Läuferschichten auf eine Binderschicht gesetzt (→ Opus).

Mauerwerk Aus natürlichen Steinen mit Mörtel verfestigte Mauer. Es gibt Mauerwerke aus → Bruchsteinen, → Quadern, → Bossen und das Zyklopenmauerwerk (→ Opus).

Maureske Streng stilisiertes lineares Rankenornament, in der islamischen Kunst (→ Islamische Architektur) entwickelt und seit der → Renaissance im Abendland übernommen. Die → Arabeske ist im Vergleich dazu naturalistischer.

Maurische Architektur → Islamische Architektur.

Mausoleum Jedes monumentale Grabmonument. Der Name stammt von dem *Grabmal des Königs Mausolos* im kleinasiatischen *Halikarnassos,* um 350 v. Chr.

Medaillon Runde Rahmung eines flachen → Reliefs in Stein, → Terrakotta oder → Stuck.

Medrese (Medersa, Madrasa) Seit dem 11. Jh. eingerichtete islamische Moschee-Hochschule mit Schul- und Beträumen, später auch mit Wohnzellen für Studenten. Mit der Erweiterung der Aufgaben veränderte sich seit dem 13. Jh. die bauliche Gestaltung, die äußerlich

162 Knossos: Palast des Minos. Um 1650–1400 v. Chr.
A = Pfeilerhalle; B = Zentralhof; C = Thronsaal; D = Magazine; E = Gemach der Königin; F = Saal der Doppeläxte (nach H. Koepf)

→ Moscheen ähnelt, im Innern aber anders ist. Vier zum Hof offene Lehrsäle (Liwane), mit → Tonnengewölben oder → Kuppeln überdeckt, bilden ein Kreuz, während in den Winkeln der Kreuzarme Studierräume, Wohnzellen u. a., oft in zwei Stockwerken, eingebaut wurden.

Megaron (griech. das Geräumige) Vorgriechisches (mykenisches) rechteckiges Haus mit einem Herdraum und Vorhalle und säulengestütztem, offenem Eingangsraum an einer Schmalseite, Vorstufe des griechischen → Antentempels (→ Minoische Architektur, Abb. 164)

Mensa (lat. Tisch) Steinerne Altarplatte der frühchristlichen Kirchen (→ Altar).

Metope Häufig mit → Reliefs geschmückte Felder zwischen den

→ Triglyphen am → Gebälk des dorischen → Tempels (vgl. → Abakus, Abb. 1; → Säulenordnungen).

Mezzanin Niedriges Zwischengeschoß an → Profanbauten, meist zwischen Erdgeschoß und erstem Stock, oft auch über dem Hauptgeschoß oder unter dem → Kranzgesims, besonders bei Barock-Schlössern.

Mihrab Die stets nach Mekka gerichtete Gebets- und Kultnische der → Moschee (→ Islamische Architektur).

Mimbar Die auf einer Treppe erreichbare hochliegende Predigtkanzel einer → Moschee (→ Islamische Architektur).

Minarett Runder oder quadratischer schlanker Turm bei → Mo-

scheen für den Gebetsrufer (Muezzin), oft ornamental dekoriert. Eine Moschee kann mehrere M. (bis zu acht) haben (→ Islamische Architektur).

Minoische Architektur Um 2000 v. Chr. beginnt auf Kreta die Entwicklung einer Baukunst, die gegen 1150 v. Chr. ihr Ende fand. Sie beschränkt sich auf die Errichtung unbefestigter Paläste mit reichem malerischen Schmuck. Es gab keine → Tempel, Kultstätten befanden sich in den Palästen. Der Höhepunkt fällt in die Zeit von 1700–1400 (»Jüngere Palastzeit«), aus der die Anlagen von *Knossos, Phaistos, Mallia, Kato Zakro* und der *Villa Hagia Triada* stammen.

Der → Grundriß des *Palastes von Knossos* (Abb. 162) läßt die Sage vom → Labyrinth des Minos verstehen. Was man Fassaden nennen könnte, ist allein auf den etwa 30:60 m großen Innenhof gerichtet, um den eine Unmenge kleiner Rechtecke in völliger Unregelmäßigkeit angehäuft ist. Die Zugänge sind kompliziert und führen nicht unmittelbar von Raum zu Raum. Das Gewimmel setzte sich durch mehrere Stockwerke fort, was Lichtschächte und Treppenanlagen notwendig machte, die erstmals in der Baugeschichte künstlerisch ausgenutzt wurden (Abb. 163). Als Stützglieder wurden rechteckige → Pfeiler benutzt und nach unten verjüngte Holzsäulen, die auf ausgehöhlten steinernen Fußplatten standen. Das → Mauerwerk bestand aus → Bruchsteinen mit Lehmmörtel, Lehmziegeln und Holzverstärkungen und war durch-

163 Knossos: Palast des Minos. Um 1650–1400 v. Chr. Treppenhaus im Ostflügel

164 Tyrins: Burganlage. 14.–13. Jh. v. Chr.
A = Torbau; B = Haupthof; C = kleiner Torbau; D = Altarhof; E = Megaron; F = Zweiter Hof mit Megaron (nach H. Koepf)

gehend verputzt. Geordnete fassadenartige Außenfronten gab es nicht. – Wie Städte ausgesehen haben, läßt sich an *Gournia* erkennen, das ein Durcheinander von winzigen Wohneinheiten zeigt, die auf »Straßen« zugänglich sind, in denen gerade ein Mensch oder ein Esel passieren kann. – Grabanlagen zeigen bienenkorbförmige Kuppelkonstruktionen.

Schon vor dem Ende der Jüngeren Palastzeit scheinen die mykenischen Griechen Herren von Kreta geworden zu sein, dessen Kultur sie übernahmen, sich nur in der Architektur stark von der minoischen unterscheidend. Statt unbefestigter Paläste errichteten sie auf dem griechischen Festland im 14. bis 13. Jh. mit gewaltigen → Zyklopenmauern umgebene → Burgen wie *Mykene* und *Tyrins* (Abb. 164). Wohl entspricht die unregelmäßige Aneinanderfügung der Räume oder Gebäude noch kretischen Anlagen, das Zentrum des Palastes (E) aber zeigt die Regelmäßigkeit des voll ausgebildeten → Megaron mit dem von zwei → Säulen getragenen offenen Ein-

gangsraum, der breitrechteckigen Vorhalle und dem Hauptraum mit Herd und vier hölzernen Säulen, die den erhöhten Rauchabzug im Dach trugen. Die Bauweise entspricht der kretischen: Über einer Basis von Bruchsteinen erheben sich mit Holz versteifte Ziegelwände, die glatt verputzt und mit Fresken geschmückt waren. – Neben den Burganlagen stellen die aus Kreta übernommenen Rundgräber den bemerkenswertesten Zug der mykenischen Kultur dar. Das größte dieser Gräber, das *Schatzhaus des Atreus bei Mykene* (Abb. 165), stammt aus der Zeit um 1330–1300 v. Chr. Die Innenform (»unechtes Gewölbe«) wird durch Vorkragen der einzelnen Steinringe erreicht. Die Wandflächen waren verputzt und dekoriert. Der Durchmesser beträgt 14,5 m, die Höhe 13,2 m. Der Zugang erfolgt durch einen 30 m langen und 6 m breiten gemauerten Gang.

Die mykenische Kultur fand wie die minoische im Laufe des 12. Jh. durch Einwanderungen von Norden her ihr Ende. Es dauerte mehrere Jahrhunderte, bis sich die neue griechische Kultur entwickelte.

Mittelschiff Der mittlere Raum einer mehrschiffigen Anlage.

Modern Style → Jugendstil.

Modul (lat. modulus = kleines Maß) In der Antike und → Renaissance der halbe untere Durchmesser einer → Säule als Maßeinheit zur Bestimmung der Maßverhältnisse eines Baus.

Modulor Eine von Le Corbusier (1887–1965) entworfene Maßeinheit, die auf dem → Goldenen Schnitt (Abb. 77) aufbaut und sich auf → Proportionen der menschlichen Figur bezieht.

Monolith (griech. Einzelstein) Aus einem einzigen Stein hergestelltes Bauglied (→ Säulen u. a.).

Monopteros Rundtempel mit Säulenkranz ohne → Cella, in der Antike selten, im → Barock und → Klassizismus oft als → Gartenarchitektur verwendet.

Mosaik Ornamentale oder figürliche Dekoration von Fußböden, Wänden und → Gewölben aus verschiedenfarbigen kleinen Glas-, Stein- oder Marmorstücken zusammengesetzt, die in einen weichen Mörtelgrund eingedrückt werden. Reichste Entfaltung in der römischen Antike, frühchristlichen und byzantinischen Kunst.

Moschee (Dschami und Mesdschid) Islamischer Kultbau, aus ummauertem Hof mit kleinem überdachten Teil entstanden. Daraus entwickelten sich die frühen Hofmoscheen mit großem Arkadenhof und oft vielsäuligem Betsaal (Haram, → Islamische Architektur, Abb. 134). An der sich nach Mekka richtenden Quiblawand befinden sich → Mihrab und → Mimbar. Seit dem 11. Jh. entsteht die Liwan-Moschee, auf deren Hof zu sich vier große überwölbte Räume (Liwane) öffnen, ein von der → Medrese beeinflußter Typ. Seit dem 14. Jh. entwickelte sich in der Tür-

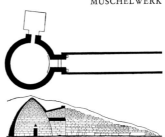

165 Mykene: Schatzhaus des Atreus. Um 1330–1300 v. Chr. Grundriß und Aufriß

kei die Kuppelmoschee (→ Islamische Architektur, Abb. 133).

Mozarabischer Stil In Spanien vom 9.–11. Jh. verbreiteter Stil der vorromanischen christlichen Architektur, von arabisch-maurischen Bauformen (→ Hufeisenbogen) und Dekorationen beeinflußt.

Mudéjar Maurisch-gotischer Mischstil der christlichen Baukunst in Spanien, der sich im Laufe der Wiedereroberung seit dem 13. Jh. ausbildete (→ Islamische Architektur, Abb. 135).

Muldengewölbe Eine Tonne mit gewölbten Enden, die die Stirnseiten abschließen.

Münster (lat. monasterium = Kloster) Ursprünglich jedes → Kloster. In der → Gotik, besonders in Südwestdeutschland, jede größere Kirche, auch wenn es sich weder um Klosterkirchen noch um → Kathedralen handelt.

Muschelwerk Vom 16.–18. Jh. verwendete muschelähnliche Formen, die der Überwölbung von halb-

166 Twickenham: Strawberry Hill. Um 1750–1770

kreisförmigen Nischen und sonstigen Dekorationen, besonders von Grotten, dienten.

Mutuli Über den → Triglyphen und → Metopen unter dem → Geison angebrachte Hängeplatten der → dorischen Ordnung, mit Reihen von → Guttae besetzt (vgl. → Abakus, Abb. 1; → Säulenordnungen).

Mykenische Architektur → Minoische Architektur.

Naos (griech. Wohnung) Die → Cella des antiken → Tempels und → Chor und Allerheiligstes byzantinischer Kirchen.

Narthex (griech. Gerte) Westliche Vorhalle frühchristlicher, byzantinischer und mittelalterlicher Kirchen.

Nekropole (griech. Totenstadt) Großangelegter Friedhof der Antike und des Frühchristentums (→ Katakombe).

Netzgewölbe Die Rippen der Gesamtwölbung sind netzartig so angeordnet, daß die → Joch-Einteilung verschwindet.

Neubarock → Historismus.

Neuexpressionismus → Plastischer Stil.

Neugotik Von England im 18. Jh. ausgehende Wiederaufnahme gotischer Formen (Gothic Revival), die sich im 19. Jh. überall verbreitete. Durch die wachsende Kenntnis des Mittelalters wurde die Formensprache immer »richtiger« und damit auch akademisch-erstarrter. Besonders angewendet für Kirchen, Parlamente, Rathäuser, aber auch sonstige öffentliche Bauten (Postämter, Schulen, selbst Bahnhöfe). Das berühmteste frühe Beispiel ist *Strawberry Hill in England* um 1750–1770 (Abb. 166). Weitere Beispiele vgl. → Historismus, Abb. 118, 120).

Neuklassizismus Wiederaufnahme des → Klassizismus im 20. Jh., besonders in Diktaturen (Faschismus, Nationalsozialismus, Stalinismus), mit überdimensionaler Steigerung der Maßverhältnisse (Abb. 167).

Neurenaissance → Historismus.

Neuromanik → Historismus.

Nymphaeum In der griechischen Antike Quellheiligtum der Nymphen, in der römischen Antike profanes Lusthaus mit Brunnen und Statuen, so auch in → Renaissance und → Barock als Brunnen- oder Badeanlage.

Obelisk Im alten Ägypten kultisches Zeichen für den Sonnengott, meist ein → Monolith auf quadratischer Grundfläche, dessen Kanten zur pyramidenförmigen Spitze hin konvergieren. Seit der → Renaissance als Denkmalsform und zur Dekoration an → Giebeln u. a. gebraucht.

Obergaden Auch Lichtgaden oder Fenstergaden genannt: Oberer durchfensterter Wandteil des → Mittelschiffs einer → Basilika.

Ochsenauge (franz. œil-de-bœuf) Besonders im → Barock beliebtes rundes oder ovales Fenster, das auch als Blindfenster angebracht wurde.

167 Moskau: Intourist-Ministerium. 1933

Odeion Oft überdecktes antikes Konzerthaus in Form eines Theaters.

Ohrmuschelstil Aus ohrmuschelähnlichen Elementen gebildete Dekoration des 16.–17. Jh., dem → Knorpelwerk verwandt und besonders in Deutschland und den Niederlanden gebräuchlich.

Oktastylos → Tempelformen.

Oktogon (griech. Achteck) Eine für den Grundriß von Zentralbauten wichtige geometrische Figur.

Opaion (griech. Rauchloch) Runde Öffnung im Scheitel einer → Kuppel.

Opisthodom (griech. Hinterhaus) An der Rückwand der → Cella eines griechischen → Tempels angebrachter Raum, entsprechend der Vorhalle (→ Pronaos).

Opus (lat. Werk) Verschiedene Techniken der römischen Antike bei → Mauerwerk, Verkleidung und Fußbodenbelag: 1. o. alexandrinum, Fußbodenmosaik aus farbigen, geometrisch angeordneten Marmorsteinen, 2. o. incertum → Füllmauer, 3. o. listatum oder mixtum, Mauerwerk aus wechselnden Schichten von kleinen Natursteinen und Ziegelsteinen, 4. o. quadratum, Quadermauerwerk (→ Quader), 5. o. reticulatum, Gußmauerwerk mit Verblendung durch übereck gestellte Steine, 6. o. sectile, Wandbekleidung oder Fußbodenbelag aus geometrisch oder andersformig geschnittenen Marmorplatten, 7. o.

117

168 Marienburg: Großer Remter. 1318–1325

spicatum, Mauerwerk aus wechselnd schräg gelegten Steinschichten, die ein Ähren- oder Fischgratmuster bilden, 8. o. tesselatum, Bodenmosaik aus verschiedenfarbigen Steinwürfeln.

Orangerie Im → Barock übliche Orangenhäuser, die mit dem Schloß verbunden sein oder frei im Park stehen konnten.

Oratorium Kleiner privater Betraum, der in Kirchen für Fürsten und sonstige Herrschaften durch ein Fenster mit dem → Chor verbunden sein kann (meist im Emporengeschoß). Seit dem 16. Jh. auch öffentliche Beträume.

Orchestra (griech. Tanzplatz) Kreisrunder Tanzplatz in der Mitte des griechischen Theaters.

Ordensburg Klosterburgen der Deutschordensritter in Preußen und Livland, seit der 2. Hälfte des 13. Jh. entwickelt. Meist in → Backstein errichtete regelmäßige Vierecke mit starker Befestigung. Reiche Ausbildung von → Kapitelsaal und → Remter (Abb. 168).

Orientierung → Ostung.

Orthostat (griech. aufrechtstehend) Hochkant gestellte Steinblöcke am → Sockel der → Cella griechischer → Tempel.

Ostung (Orientierung) Verlauf der Längsachsen von Kirchen in West-Ost-Richtung mit dem Hauptaltar im Osten, beim abendländischen Kirchenbau vorherrschend. Es gibt Ausnahmen, von denen die bedeutendste *St. Peter in Rom* ist.

Ottonische Baukunst Deutsche romanische Baukunst in der Zeit der ottonischen Kaiser, 2. Hälfte 10. bis Anfang 11. Jh. (→ Romanik).

Pagode Ostasiatischer Tempel oder Teil einer Tempelanlage, oft in Form eines mehrgeschossigen Turmes mit meist reichverzierten vorschwingenden Dächern über jedem Geschoß. Nachahmung in europäischen Gärten des 18. Jh. (→ Chinoiserie).

Palas Wohn- und Festsaalbau der mittelalterlichen → Burg, besonders der Fest- und Versammlungssaal der → Kaiserpfalzen, hervorgegangen aus der germanischen → Königshalle.

Palladianismus Vornehmlich in der englischen Baukunst seit dem Anfang des 17. Jh. auftretende Anlehnung an Bauten von Andrea Palladio (1508–1580), auch in den Niederlanden und Norddeutschland vorhanden. Neuaufleben des P. in England und Venetien im 18. Jh. und von dort Übergreifen auf Deutschland, Rußland und Nordamerika (→ Renaissance).

Palmette Ornament, das den Blättern der Fächerpalme nachgebildet ist. In der Antike erfunden und seit der → Renaissance bis zum 19. Jh. wieder verwendet.

169 Freiburg i. Br.: Münster, Maßwerk des Turmhelmes. Bis Mitte des 14. Jh. vollendet

Papyrussäule Ägyptische Säulenform (→ Ägyptische Architektur, Abb. 2).

Paradies (griech. paradeisos = Garten) Vorhof der frühchristlichen und frühmittelalterlichen → Basilika (→ Atrium), manchmal auch der → Narthex so bezeichnet.

Parlatorium Sprechraum in → Klöstern.

Paß Zirkelschlag. Danach die aus Kreisbögen zusammengesetzten Pässe des gotischen → Maßwerks benannt, die als → Dreipaß, Vierpaß usw. auftreten können (Abb. 169).

Pastophorien Die beiden Räume (→ Diakonikon und → Prothesis) neben der → Apsis frühchristlicher → Basiliken.

Patio Innenhof des spanischen Hauses.

Pavillon Freistehendes kleines Gebäude in Garten- und Parkanlagen und seitliche Teile eines barocken Schlosses, die sich vom Hauptbau durch eigene Dächer absetzen (→ Barock, Abb. 30).

Pendentifkuppel → Kuppel.

Pergola Offener, von Pflanzen überrankter Laubengang in Gärten oder als Anbau des Hauses.

Peribolos (griech. Umzingelung) Der von Mauern oder → Kolonnaden umgebene heilige Tempelbezirk der Antike.

170 Neubabelsberg: Mendelsohn, Einstein-Turm. 1919–1921

Peridromos Umgang zwischen → Cella und Säulenkranz griechischer → Tempel.

Peripteros → Tempelformen.

Peristyl Von → Säulen umstandener Hof antiker Gebäude, auch das → Atrium frühchristlicher Kirchen.

Perlstab → Astragal.

Perpendicular Style Englische Spätgotik von der Mitte des 14. bis zum 16. Jh., gekennzeichnet durch senkrechtes → Stabwerk in großen Fenstern und → Fächergewölbe (→ Gotik, Abb. 96).

Perspektive Die Projektion des auf einen Fluchtpunkt gerichteten Sehbildes auf die Fläche (lineare Zentralperspektive) wurde in der florentinischen Frührenaissance im Kreise des Filippo Brunelleschi

(1377–1446) erfunden. Sie wurde zunächst hauptsächlich von Malern für Zeichnungen und Gemälde benutzt, seit dem frühen 16. Jh. auch für illusionistische Fassadendekorationen (Holbein) und schließlich seit dem 17. Jh. für die Vortäuschung großer Architekturräume. – Auf Architekten wirkte sich das perspektivische Sehen bei Platzgestaltungen aus (Michelangelos *Kapitolsplatz*, → Kollossalordnung, Abb. 157, und Berninis *Petersplatz in Rom*, → Barock, Abb. 19), bei der Anlage von Straßenfluchten mit Blickpunkten, bei Stadtgestaltungen (Karlsruhe u. a.) und in der → Gartenarchitektur. Im Laufe des 19. Jh. verliert dieses perspektivische Sehen seine bis dahin gültige Herrschaft.

Pfahlbau Wohnhütten auf Pfählen über flachen Seen in prähistorischer Zeit. Berühmtestes Beispiel einer Pfahlbaugründung in geschichtlicher Zeit ist Venedig.

Pfalz (lat. palatium) Wohnstätten der deutschen Kaiser und Könige, solange sie keine festen Residenzen hatten und im Reiche herumzogen (von Karl dem Großen bis zum 13. Jh.). Außer dem → Palas und den Wirtschaftsgebäuden gehörte eine → Kapelle, oft → Doppelkapelle, dazu (vgl. → Karolingische Architektur, Abb. 145).

Pfannendach → Dachdeckung.

Pfeiler Stützglied von quadratischem oder rechteckigem Durchschnitt mit → Basis und → Kapitell, das freistehend und als Wand-

171 Ronchamp: Le Corbusier, Wallfahrtskirche Notre Dame du Haut. 1950–1955

oder Halbpfeiler (→ Pilaster) auftreten kann. Der → Rundpfeiler ist im Gegensatz zur → Säule meist sehr gedrückt.

Pfeilerbasilika → Basilika mit → Pfeilern als Stützgliedern.

Pfettendach → Dachkonstruktionen.

Pilaster Der Wand vorgelagerter flacher → Pfeiler mit → Basis und → Kapitell.

Pilote → Pfeiler oder → Stützen eines Gebäudes, das in Höhe des ersten Geschosses beginnt, wobei das Erdgeschoß offen bleibt. Moderne Bauweise.

Piscina Fischbecken; Schwimmbecken der → Thermen; Taufbekken im → Baptisterium; Wasserbecken in der Nähe des → Altars zum Waschen der liturgischen Geräte.

Plastischer Stil Neben dem rationalen und fast ausschließlich mit Kuben arbeitenden → Internationalen Stil traten von dessen Beginn an Tendenzen auf, die auf plastische und bewegte Gestaltung der Bauten in der Außen- und Innenform zielten. Bevorzugtes Material ist → Beton. Ein bezeichnendes frühes Beispiel ist der 1919 bis 1921 entstandene *Einstein-Turm in Neubabelsberg bei Potsdam* (Abb. 170) von Erich Mendelsohn (1887–1953). Da man für derartige Werke den Begriff Expressionismus verwandte, schuf man für die seit der Mitte des 20. Jh. in größerer Zahl auftretenden ähnlichen Schöpfungen den Terminus Neuexpressionismus. Eine solche Aufspaltung ist aber unangebracht; man sollte diese Baugesinnung unter einem Begriff zusammenfassen. Wie sehr dies berechtigt ist, erweist der Vergleich der als Musterbau des Neuexpressionismus geltenden *Wallfahrtskirche von Ronchamp* (1950–1955; Abb. 171) von Le Corbusier (1887–1965) mit dem *Einstein-Turm*. Als weitere, für sich

172 New York: Saarinen, TWA-Gebäude auf dem John F. Kennedy-Flughafen. 1956–1962

173 Tokio: Tange, Große Olympiahalle. 1964

sprechende Beispiele des plastischen Stils seien angeführt: die *TWA-Gebäude auf dem John F. Kennedy-Flughafen in New York* von 1956–1962 (Abb. 172) von Eero Saarinen (1910–1961), die 1964 entstandene *Große Olympiahalle in Tokio* (Abb. 173) von Kenzo Tange (1913 geb.) und die 1960 bis 1963 errichtete *Berliner Philharmonie* (Abb. 174) von Hans Scharoun (1893–1972). Damit sind auch einige der zahlreichen neuen Bauaufgaben bezeichnet, die gegenüber der tötenden Uniformität von Büro- und Wohnsilos eine phantasievolle Gestaltung fordern und ermöglichen.

Platereskenstil Überladene spanische Dekorationsweise des 16. Jh. in Nachahmung von Silberschmiedearbeiten.

Platzlgewölbe Seit dem 17. Jh. in Österreich auftretendes → Gewölbe von geringer Scheitelhöhe (→ Böhmische Kappe).

Plinthe Quadratische Fußplatte von → Säulen, → Pfeilern und Statuen.

Podest Absatz zwischen zwei Treppenläufen.

Podiumtempel Auf hohem Unterbau stehender → Tempel der → etruskischen und → römischen Architektur, der nur eine Frontseite hat und über eine Freitreppe zugänglich ist (vgl. → Etruskische Architektur, Abb. 56).

Portal Besonders hervorgehobener und ausgestatteter Haupteingang von Kirchen, Palästen und aufwendigen Häusern.

Portikus (lat. Halle) Portalvorbau eines Gebäudes aus → Säulen, die meist einen → Giebel tragen.

Präfabrikation (Fertigbauweise) Nach 1945 entwickelte Bauweise mit in Fabriken serienmäßig hergestellten Teilen, die am Bauplatz zu Häusern montiert werden. Die Serienproduktion von Bauteilen setzte bei Ingenieurbauten schon Ende des 18. Jh. in England ein; bekanntestes Beispiel wurde der aus vorgeformten Glas- und Gußeisenelementen 1850–1851 in neun Monaten errichtete *Kristallpalast in London* (vgl. → Historismus, Abb. 117) von Sir Joseph Paxton (1801 bis 1865). Verwendung von Fertigteilen erfolgte seit dem Ende des 19. Jh. in steigendem Maße (→ Curtain Wall).

Prellstein An Hausecken oder Torbögen stehender Stein, um Beschädigung der Gebäudeecken durch Wagenräder zu verhindern.

Presbyterium (griech. presbyterion = Rat der Ältesten) Der für die Priester bestimmte Teil der Kirche hinter und vor dem Hauptaltar (→ Chor).

Profanbau Alle Gebäude nichtreligiösen Charakters im Gegensatz zum → Sakralbau.

Profil Umriß oder Querschnitt von Baugliedern wie → Sockel, → Gesims, Rahmung usw.

Pronaos Vorhalle des griechischen → Tempels.

Proportion Die Maßverhältnisse von Bauteilen untereinander und zum Ganzen. Sie können auf einem Grundmaß (→ Modul) beruhen, auf Grundfiguren wie Kreis, Quadrat, Dreieck, auf der musikalischen Stufenleiter (»harmoni-

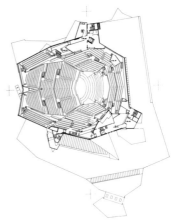

174 Berlin: Scharoun, Philharmonie. 1960–1963

sche P.«), auf festen P.-Regeln (→ Goldener Schnitt, → Modulor).

Propyläen Monumentale Toranlage griechischer Kultbezirke (→ Griechische Architektur, Abb. 111).

Prostylos → Tempelformen.

Proszenium Vorderbühne. Im antiken und elisabethanischen Theater der Platz vor der Spielbühne, heute der Raum zwischen Vorhang und Rampe.

Prothesis (griech. Schaustellung) In frühchristlichen und byzantinischen Kirchen Raum neben der → Apsis, in dem die Gaben des Abendmahls aufbewahrt werden (→ Diakonikon, → Pastophorien).

Protorenaissance (Vorrenaissance) Bezeichnung für die florentinische Baukunst des 11. und 12. Jh. (vgl.

→ Baptisterium, Abb. 13; → Romanik).

Pseudobasilika (falsche Basilika) Eine → Basilika mit erhöhtem → Mittelschiff, aber ohne durchfensterten → Obergaden.

Pseudodipteros (falscher Dipteros) → Tempelformen.

Pseudoperipteros (falscher Peripteros) → Tempelformen.

Pteron → Peridromos.

Pulpitum (lat. Gerüst) 1. Rednerbühne. 2. Mittelteil des → Proszeniums antiker Theater. 3. Steinwand in englischen Kirchen, die den Platz der Sänger vom Langschiff trennt.

Pultdach → Dachformen.

Pylon (griech. Portal) 1. Trapezförmig gebröschte Eingangswände ägyptischer Tempel, von → Obelisken begleitet (→ Ägyptische Architektur). 2. → Pfeiler oder Mast zur Aufhängung des Tragwerks einer Hängebrücke (→ Brücke).

Pyramide Massiver Bau auf quadratischem → Grundriß mit geneigten Dreiecksseiten, die sich in einer Spitze treffen. Klassische Form des ägyptischen Königsgrabes mit einem System von Gängen und Kammern im Innern, deren Eingangsstollen vermauert wurde. Entwickelt aus der Stufenpyramide, die aus der Aufeinanderschichtung immer kleiner werdender → Mastabas entstand (→

Ägyptische Architektur). – In der römischen Antike seltenes Grabmal (*Cestiuspyramide in Rom*). – Die altamerikanischen Stufenp. sind Tempelunterbauten mit Treppen.

Pyramidendach (Zeltdach) → Dachformen.

Quader Allseitig regelmäßig behauener rechteckiger → Hau- oder Werkstein.

Quadratischer Schematismus → Ausgeschiedene Vierung, → Gebundenes System.

Quadriga (lat. Viergespann) In der Antike für Wagenrennen und Triumphzüge benutzte Streitwagen mit vier nebeneinandergespannten Pferden. Als plastische Gruppe auf → Triumphbögen (vgl. → Klassizismus, Abb. 150).

Quattrocento (ital. 400) In Italien übliche Bezeichnung für die Kunst des 15. Jh. (Frührenaissance).

Quergurt → Gurtbogen.

Querschiff (Querhaus, Transept) Querbau zwischen → Langhaus und → Chor, so daß der → Grundriß der Kirche die Form eines → lateinischen Kreuzes hat. Bei der Durchdringung von Lang- und Querhaus entsteht die → Vierung. Es gibt Kirchen, die noch ein zweites Querschiff im Osten haben (*Cluny III* und *englische Kathedralen*; vgl. → Gotik, Abb. 86). Doppelchörige Kirchen können auch im Westen ein Querschiff enthalten.

Radfenster → Rose.

Rahmenbauweise   Die Lasten
werden von Rahmen statt von
Mauern getragen, so beim → Fach-
werkbau und dem modernen →
Skelettbau.

Randschlag Gleichmäßig bearbei-
tete Kante eines als → Bosse ge-
lassenen → Hausteins.

Rapport   Regelmäßige oder rhyth-
mische Wiederholung einer Form
bei → Friesen, Tapeten, Teppichen
usw.

Raster   Orthogonales Liniennetz
als Strukturform im Städte- und
Hochbau (→ Skelettbau; → Curtain Wall).

Rauhputz (Berapp) Grober Mör-
telverputz der Außenwand.

Refektorium   Speisesaal am →
Kreuzgang eines → Klosters.

Régence-Stil   Anfänge des französischen Spätbarock (→ Barock)
unter der Regentschaft Philipps von
Orléans (1714–1723).

Regulae (lat. pl. Leiste) Leisten
unter den → Triglyphen der →
dorischen Ordnung (vgl. → Abakus, Abb. 1; → Säulenordnungen).

Relief   Auf einer Fläche darge-
stellte plastische Objekte, die je
nach dem Verhältnis zum Grund
als Flach-, Halb- oder Hochrelief
auftreten können. Beim Tiefrelief
ist die Darstellung in den Grund
eingearbeitet. Das R. ist für die

Verwendung in der Baukunst besonders geeignet.

Reliquiar (lat. reliquiae = das Zu-
rückgebliebene)   Behälter zur Aufnahme von Gebeinen und Gegen-
ständen von Heiligen. Große Re-
liquienschreine des Mittelalters sind
in Formen von Architekturen gestaltet.

Remter   Speisesaal in den → Ordensburgen (Abb. 168).

Renaissance   Aus dem italienischen
Wort rinascità (Wiedergeburt), das
im 16. Jh. in Italien für die zeit-
genössische Kunst geprägt wurde
(Vasari), ist im 19. Jh. (um 1820)
in französischer Übersetzung der
Stilbegriff Renaissance geworden,
mit dem zunächst die italienische
Entwicklung von 1420–1580 bezeichnet wurde. Mit rinascità mein-
te Vasari die Wiedergeburt der
Antike, durch die die → Gotik als
Baukunst der Barbaren (Goten)
überwunden wurde. Es fand dann
eine Unterteilung in Frührenaissance (1420–1480), Hochrenaissance
(1480–1520) und Spätrenaissance
(1520–1580) statt. Neuerdings ist
es üblich geworden, die letzte Phase unter dem Begriff Manierismus
als eigenen Stil zu betrachten, was
wir jedoch für eine unglückliche
Erfindung halten, da die Baukunst
gerade dieser Zeit die Normierung
und Kanonisierung der Renaissance
bedeutete. Was nach 1580 folgte,
wird als → Barock bezeichnet, der
ebenfalls in Italien einsetzte und
sich völlig auf den Grundlagen der
Renaissance entwickelte. – Als beste Definition der Renaissance-

175 Florenz: S. Croce, Pazzikapelle.
Um 1430–1444

Baukunst in ihren idealen Zielen können folgende Worte Palladios aus seinen »Quattro libri dell'architettura« von 1570 gelten: »Schönheit wird sich ergeben aus der Form und der Beziehung des Ganzen zu den verschiedenen Teilen, der Teile untereinander und dieser wiederum zum Ganzen; die Gestalt möge als ein ganzer und vollkommener Körper erscheinen, an dem jedes Glied mit dem andern übereinstimmt und alle notwendig sind, um das zu komponieren, was du zu formen beabsichtigst.«

Die um 1420 in Florenz einsetzende Entwicklung greift über die einheimische → Protorenaissance des 11. und 12. Jh. (vgl. → Baptisterium, Abb. 13) auf die römische Antike zurück, deren Bauelemente (→ Säulen, → Pilaster, → Gebälk, → Tympanon usw.) sie übernimmt, womit auch die antiken, nach menschlichen → Proportionen ausgerichteten Maßverhältnisse wieder Geltung gewinnen, die in der Gotik aufgehoben worden waren. Der bahnbrechende Baumeister Filippo Brunelleschi (1377 bis 1446) setzt mit der Vollendung einer gotischen Bauaufgabe ein, der Errichtung der *Florentiner Domkuppel* ab 1420 (vgl. → Campanile, Abb. 47). Um 1430–1444 entsteht die *Pazzikapelle bei S. Croce in Florenz,* ein breitrechteckiger Saal von etwa 18:10 m mit Mittelkuppel und quadratischem Altarraum (Abb. 175). Auf die Wände projizierte Rahmen und Gliederungen erwecken den Eindruck, als ob es sich um den → Zentralbau eines → griechischen Kreuzes handelt. Darin kommt perspektivisches Denken zum Ausdruck. Brunelleschi war mit dem Mathematiker Manetti u. a. der Erfinder der wissenschaftlichen Zen-

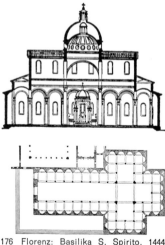

176 Florenz: Basilika S. Spirito. 1444 beg. Aufriß und Grundriß

tralperspektive (→ Perspektive). Harmonie (concinnitas) aller Teile und Schönheit (bellezza) der Einzelformen sind zwei bewußte Forderungen der Renaissance, die einen Bau zum »Kunstwerk« machen. In der 1444 begonnenen *Basilika von S. Spirito* (Abb. 176) werden, wie schon vorher in *S. Lorenzo* (1421 beg.), Übersichtlichkeit, Rationalität und menschliche Proportionsgerechtigkeit auf die traditionelle Kirchenform übertragen, wobei die Lieblingsidee des Zentralbaus im Ostteil um die kuppelgekrönte quadratische → Vierung herum Verwirklichung findet. Das flachgedeckte → Mittelschiff ist die Straße zu diesem Zentrum hin. – Mit Leon Battista Alberti (1404–1472) tritt derjenige Architekt in Erscheinung, der sich am stärksten als Künstler im neuen Sinne fühlte. Als Theoretiker legte er in seinen Büchern »De re aedificatoria«, die um 1450 beendet wurden und auf Vitruvs 1414 wiederentdeckten zehn Büchern »De architectura« fußen, die Grundlagen der Baukunst fest. Seine Entwürfe umfassen profane und sakrale Gebäude. 1446–1451 entsteht der unvollendete *Palazzo Rucellai in Florenz,* an dessen Fassade erstmals Pilasterordnungen nach dem System des *Collosseums* verwendet werden (Abb. 177). Die Fassade ist eine Bildwand mit linearen Projektionen. Bellezza und »ornamenti«, zu denen Pilaster und Gebälke gerechnet werden, sind für Alberti die Hauptelemente der Architektur. Sie werden arithmetischer Ordnung unterworfen, die mit musi-

177 Florenz: Alberti, Palazzo Rucellai. 1446–1451

kalischen → Proportionen in Zusammenhang steht. Es fehlt ein Hof, wie er in dem 1444 von Michelozzo (1396–1472) begonnenen *Palazzo Medici-Riccardi in Florenz* enthalten ist und die Regel wird (vgl. → Arkade, Abb. 9). Noch stärker auf Römisches griff Alberti mit *S. Andrea in Mantua* zurück, womit er einen für die Zukunft entscheidenden Kirchentypus schuf (Abb. 178, 179). Er entwarf eine tonnenüberwölbte → Saalkirche mit je drei tonnenüberwölbten Seitenkapellen, gleichgebildeten Querarmen und Chorrechteck, über der → Vierung eine Tambourkuppel, so daß die Ostteile wiederum einen beherrschenden Zentralbau bilden. Der Plan entstand 1470, die Ausführung begann 1472, wurde aber erst im 18. Jh. vollendet. Die Idee ist von römischen → Thermen und der

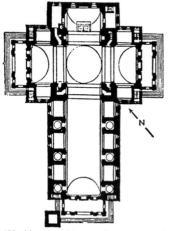

178 Mantua: Alberti, Basilica di S. Andrea. 1472 – 18. Jh.

Konstantinsbasilika beeinflußt. Die Wände stellen eine Folge ineinander verzahnter → Triumphbögen dar, deren Form und Proportionen die Fassade bestimmt.

Nur wenig später, 1485–1491, verwirklicht Giuliano da Sangallo (1445–1516) mit *S. Maria delle Carceri in Prato* einen reinen Zentralbau (Abb. 180), mit dem das Renaissance-Ideal, Raum und Hülle gleichmäßig vom Zentrum aus zu entwickeln und in völlige Übereinstimmung zu bringen, verwirklicht worden ist. Flächigkeit der Wände und linearer Charakter aller »ornamenti« innen und außen sind indes noch Kennzeichen der Frührenaissance. Die Füllung der Formen mit schwellendem plastischen Leben erfolgte nicht in Florenz, sondern in Rom. Sangallo hat mit der um 1480 errichteten *Villa Medici in Poggio a Caiano bei Florenz* ein frühes Beispiel des unbefestigten Landsitzes, der »Villa«, gegeben, die für die kommenden Jahrhunderte bis heute eine wichtige Bauaufgabe blieb. Dabei entwickelte er das geschlossene »appartamento« von mehreren

179 Mantua: Alberti, Basilica di S. Andrea. 1472 – 18. Jh.

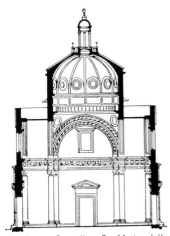

180 Prato: Sangallo, S. Maria delle Carceri. 1485–1491 (nach H. Koepf)

182 Rom: Bramante, Tempietto von S. Pietro in Montorio. 1502–1503

Zimmern, die für die Zukunft entscheidende Wohnform.

1482–1499 lebte Leonardo da Vinci (1452–1519) in Mailand, wo

181 Leonardo da Vinci, Zeichnung

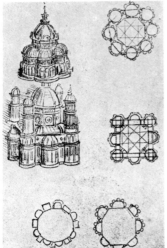

er zu Donato Bramante (1444 bis 1514) in engen Beziehungen stand. Er beschäftigte sich in vielen Entwürfen mit Zentralbauten, ohne einen auszuführen. Ein Blatt in Windsor (Abb. 181) zeigt Beispiele, die aus Kreisen, Quadraten und Achtecken in vielfachen Kombinationen Gebilde von größtem Reichtum entwickeln. Die von allen Seiten gleichmäßig ansichtigen Baukörper übertreffen an Organik und Plastizität Bramantes gleichzeitig in Mailand errichtete Bauten. Erst nach seiner Übersiedlung nach Rom 1499 lieferte Bramante mit dem *Tempietto* im Hofe von *S. Pietro in Montorio* von 1502/03 einen Musterbau der neuen Gesinnung, der in seiner Reinheit, Einfachheit und Klassizität unübertroffen blieb (Abb. 182). Er steigt von den drei flachen Stufenringen bis zur → Laterne in vollkommener Organik

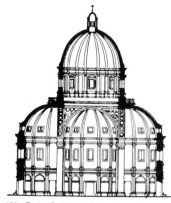

183 Todi: S. Maria della Consolazione. 1506/08–1608 (nach H. Koepf)

sich Türme erheben. Der Grundriß zeigt keine ebenen Wandflächen mehr, sondern eine sich bis in die kleinsten Teile wiederholende räumlich-plastische Aushöhlung durch Nischen.

Bei Bramantes Tod waren die Vierungspfeiler mit den verbindenden Tonnenbögen fertig und ein Teil der Gegenpfeiler begonnen. Dieses unter verschiedenen Nachfolgern nur wenig veränderte Fragment übernahm Michelangelo (1475–1564), als er 1546 die Bauleitung erhielt. Durch die bestehenden Teile war die Größe des Baus bestimmt (Länge und Breite

auf, der die Körperbehandlung entspricht, die alle Flächigkeit und Linearität in plastische Form verwandelt hat. Von gleicher kristallinischer Klarheit ist der Zentralbau *S. Maria della Consolazione bei Todi* (1506 oder 1508–1608), dessen Entwurf möglicherweise auf Bramante zurückgeht (Abb. 183). Ohne daß man den Raum betritt, ist er in seiner Gestalt genau vom Außenbau ablesbar, so sehr ist dieser die Ausprägung des von innen her wirkenden Gesamtorganismus. – 1506 fand die Grundsteinlegung des Neubaus von *St. Peter in Rom* nach dem Plan Bramantes statt (Abb. 184). Ausgangsform war ein Quadrat, dem ein → griechisches Kreuz eingeschrieben ist, dessen Arme mit flachen Bögen über die Quadratseiten herausragen. Die restlichen Eckräume sind von kleineren überkuppelten Zentralbauten ausgefüllt. Über den stark ummantelten Ecken sollten

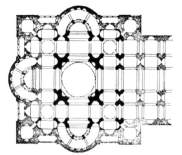

184 Rom: St. Peter, Plan des Bramante

185 Rom: St. Peter, Plan des Michelangelo. 1546

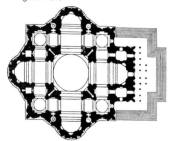

je 137,5 m, Kuppeldurchmesser 42 m). Wie der Grundriß zeigt (Abb. 185), fielen unübersichtliche Nebenräume und Ecktürme fort; das Innere wurde so vereinfacht, daß Raum und Schale eins wurden. Durch Verminderung der Nischenaushöhlungen schlossen sich die Wände zur größten Mächtigkeit, ohne flache Ebenen zu werden. Ihre plastisch-körperhafte Spannungsgeladenheit ist am reinsten an der Außenansicht von Westen zu erkennen (→ Barock, Abb. 14). Die Dynamik von Baukörper und Formen ist gegenüber allem Früheren so gesteigert, daß sie in leidenschaftliche Bewegung umschlagen kann. Damit sind die Grundlagen des Barock geschaffen. – Mit der Gestaltung des *Kapitols in Rom* (→ Kolossalordnung, Abb. 157) vollzog Michelangelo dieselbe Steigerung zum Dynamischen, indem er die Fassaden der

Seitenpaläste (1563 wurde der *Palazzo dei Conservatori* rechts begonnen) durch Kolossalpilaster gliederte und der Trapezform des Platzes ein Oval mit sternförmigem Muster einbeschrieb, dessen latent enthaltene Spannungen sich gegen die andrängenden Bauten richten. Die Schmalseite des Trapezes öffnet sich zur Stadt und ist mit ihr durch eine große Freitreppe, der »Cordonata«, verbunden. Diese Auffassung des Platzes als eines einheitlichen Organismus mußte darauf ausgehen, auch die Stadt als Organismus zu begreifen. In der Tat entstand noch im 16. Jh. die erste Verwirklichung eines derartigen Stadtganzen (*Palmanova im Veneto* von 1593), nachdem in der Frührenaissance zunächst Idealpläne entworfen worden waren. – Wie auch sonst römische Paläste gegenüber den florentinischen des 15. Jh. als

186   Rom: Sangallo d. J., Palazzo Farnese. 1541 beg.

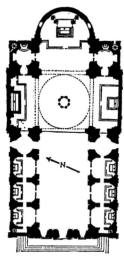

187 Rom: Vignola (eig. Giacomo Barozzi), Il Gesù. 1568–1583

plastisch durchformte Baukörper aufgefaßt wurden, zeigt der *Palazzo Vidoni-Cafarelli* von etwa 1520–1525; dessen Zuschreibung an Raffael wohl fraglich ist, und in anderer Weise auch der 1541 begonnene *Palazzo Farnese* (Abb. 186) von Antonio da Sangallo d. J. (1485–1546), der nach 1546 von Michelangelo vollendet wurde, von dem das mächtige Kranzgesims und die Betonung der Mittelachse stammen. Die Fensterreihen wirken nicht mehr wie lineare »ornamenti«, sondern wie aus der Mauermasse hervorgetriebene plastische Gliederungen.

Der der nächsten Generation angehörende Giacomo Barozzi da Vignola (1507–1573) schuf mit der 1568 begonnenen Jesuitenkirche *Il Gesù in Rom* (Abb. 187) die klassische Lösung dessen, was Alberti mit *S. Andrea in Mantua* (vgl. Abb. 178, 179) vorgebildet hatte. Die vollkommene Verbindung von Zentral- und Langbau machte *Il Gesù* zum Vorbild zahlreicher Kirchen des 17. und 18. Jh. in ganz Europa. Die von Giacomo della Porta (1539–1602) bis 1583 erstellte Fassade (→ Barock, Abb. 15) läßt das Prinzip des organischen Baudenkens besonders klar erkennen. An der beherrschenden Mittelachse entfaltet sich das Wachsen von unten nach oben und zugleich die schichtweise zurücktretende Ausbreitung nach den Seiten, so daß Horizontale und Vertikale unlöslich verklammert sind.

Rom war mit der Hochrenaissance die künstlerische Hauptstadt des Abendlandes geworden. Daneben taucht im Veneto mit Venedig und Vicenza ein zweites Zentrum auf. Mit der 1536–1582 entstandenen *Libreria Vecchia in Venedig* an der Piazzetta gegenüber dem *Dogenpalast* schuf Jacopo Sansovino (1486–1570) ein heiteroffenes und festliches Meisterwerk, das gegenüber der römischen Majestät die dekorative Pracht betont. Die Anwendung dieses Formprinzips auch auf dem *Markusplatz* hat aus ihm und der Piazzetta zwei der prachtvollsten »Festsäle« der abendländischen Stadtbaukunst gemacht. – Wie in Rom Vignola aus den Erfahrungen der ersten Hochrenaissance-Generation die Summe zog, die eine theoretische und praktische »Kanonisierung« bedeutete, geschah es in Oberitalien durch Andrea Palladio (1508–1580). Sein theoretisches Hauptwerk, die »Quattro

188   Venedig: S. Giorgio Maggiore. 1566–1602/10 (beg. v. Palladio, voll. v. Scamozzi)

libri dell'architettura« von 1570, gehörte neben Vitruv und Vignolas Säulenbuch bis ins 19. Jh. zum Rüstzeug des Architekten. Sein bedeutendster Kirchenbau ist *S. Giorgio Maggiore in Venedig,* 1566 begonnen und 1602–1610 von Vincenzo Scamozzi (1552 bis 1616) vollendet (Abb. 188). Wie im *Gesù* werden Lang- und Zentralbau miteinander verbunden, nur daß das Langhaus dreischiffig ist. Wieder erscheint gegenüber der strengen Würde des römischen Baus das Ganze in bewegterer und festlicherer Form. Unter sei-

189   Vicenza: Palladio, Villa Rotonda. Um 1550 beg.

190 Chambord: Jagdschloß, Gartenfront. 1519

191 De Toledo/de Herrera, Escorial bei Madrid. 1563–1589

nen sehr verschiedenartigen Palastbauten in *Vicenza* zeichnet sich der *Palazzo Chiericati* (1550 bis 1557) ebenfalls durch seine gelöste Gruppierung aus, die auf den Barock vorausweist. Die herkömmliche Form des geschlossenen Blockes ist aufgegeben. – Von den zahlreichen Villen Palladios soll nur die um 1550 begonnene *Villa Rotonda bei Vicenza* erwähnt werden (Abb. 189). Dem quadratischen Baukörper ist ein Kreis einbeschrieben; den vier Seiten sind Säulenvorhallen in Form antiker Tempelfronten vorgelegt. Die Innenräume um den Kuppelsaal sind als »appartamenti« regelmäßig geordnet. So hat auch das kleine Landhaus des Privatmannes vollendete künstlerische Gestalt erhalten.

Die Aneignung der Renaissance außerhalb Italiens erfolgte mit unterschiedlicher Schnelligkeit. Der → Profanbau ging voran, die kirchliche Architektur blieb zunächst spätgotisch. Am frühesten erschloß sich das französische Königtum den neuen Ideen. Franz I. hatte in Italien die Repräsentationsmöglichkeiten der Renaissance schnell erfaßt. Er berief außer Leonardo mehrere italienische Baumeister und ließ zunächst an der Loire einige Schlösser errichten,

unter denen das 1519 begonnene und nie vollendete *Jagdschloß Chambord* das aufwendigste war (Abb. 190). Der Turmreichtum entstammt der Tradition mittelalterlicher Burganlagen, die offene regelmäßige Ausbreitung der Gartenfront aber hebt den Befestigungscharakter völlig auf. Im Gegensatz dazu steht wiederum das spätgotische Gewirr der Dachaufbauten. Die großartigste »moderne« Anlage ist im Innern des Kernbaus eine doppelläufige Wendeltreppe, die durch alle Geschosse führt und sich nach den vier weiten Armen eines → griechischen Kreuzes öffnet. Diese einzigartige Erfindung könnte auf eine Idee Leonardos zurückgehen. – Noch unter Franz I. wurde 1546 der Neubau des *Louvre in Paris* von Pierre Lescot (ca. 1510–1578) begonnen (→ Attikageschoß, Abb. 10). Drei → Risalite mit → Segmentgiebeln gliedern die Hoffassaden. Lescot hat das Prinzip der Renaissance voll begriffen und eine eigene Sprache dafür gefunden, die sich weniger durch sonore Fülle als durch verhaltene Eleganz auszeichnet. Wäre dieser Bau zum Quadrat vollendet worden, so hätte er ein Viertel der heutigen Fläche eingenommen, die durch Vergrößerung im 17. Jh. entstanden ist.

192 Heidelberg: Schloß, Ottheinrichsbau. 1556–1559

Zur strengsten Renaissance-Gesinnung führt dagegen der *Escorial bei Madrid* zurück (Abb. 191). In seiner Verbindung von Schloß, Kloster und Zentralkirche sind die Ideen der Sakral- und Profanarchitektur von Spätrenaissance und Gegenreformation zusammengefaßt. Philipp II. ließ die vollkommen regelmäßige und im Rechteck geschlossene Anlage 1563 bis 1589 durch Juan Bautista de Toledo (1567 gest.) und Juan de Herrera (ca. 1530–1597) errichten. Die vertikale Steigerung gipfelt in der hohen Tambourkuppel der Kirche. Diese stellt grundrißmäßig und äußerlich einen Langbau dar, der im Innern aber als Zentralbau auf griechischem Kreuz erscheint. Wie in Italien (vgl. *Il Gesù* und *S. Giorgio Maggiore*) sind damit die Forderungen der Gegenreformation nach Vorhandensein eines Langhauses in alter christlicher Tradition mit dem Hauptanliegen der Renaissance verbunden.

Dem schmucklosen *Escorial* gegenüber wirkt der 1556 begonnene *Ottheinrichsbau vom Schloß zu Heidelberg* wie das dekorative Prunkstück eines Kunsthandwerkers (Abb. 192). Die dichtgefüllte Ordnung der Fassade gleicht einem reichen Ornament. In der Tat waren auch Architektur- und Orna-

193 Augsburg: Holl, Rathaus. 1615–1620

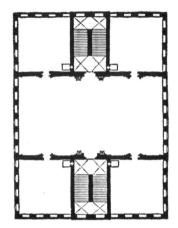

194 Augsburg: Holl, Rathaus, Aufriß
und Grundriß v. Erdgeschoß und 2.
Stock

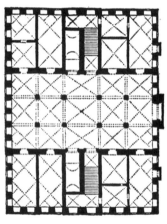

mentbücher vorbildlich, nicht aber
unmittelbare Erfahrungen an italienischen Bauwerken. Diese ornamentale Gesinnung bleibt, wie das
*Rattenfängerhaus in Hameln a. d.
Weser* von 1602 zeigt (vgl. →
Auslucht, Abb. 11), noch längere
Zeit wirksam. – Das erste deutsche Bauwerk, das die Prinzipien
der Renaissance in der Durch-
dachtheit des Organismus und der
Übereinstimmung von Innen und
Außen völlig begriffen und auf
eigene Weise verwirklicht hat, ist
das *Rathaus in Augsburg* (1615 bis
1620) von Elias Holl (1573–1646),
der nach seinen eigenen Worten
ein »heroisches Ideal« verwirkli-
chen wollte (Abb. 193, 194). –
Früher als in Deutschland hat die
Renaissance in den Niederlanden
eine verhältnismäßig reine Form
gefunden. Das repräsentative *Rathaus in Antwerpen* (1561–1565)
von Cornelis Floris (1514/20 bis
1575) war lange das Vorbild für
viele Städte der nördlichen Kü-
stengebiete (Abb. 195). – Im Kirchenbau wirkte in den außeritalienischen Ländern fast das ganze
Jahrhundert noch die Gotik nach
(Ausnahme: die *Kirche im Escorial*). Erst spät wurde in der ersten
deutschen Jesuitenkirche *St. Mi-

195 Antwerpen: Floris, Rathaus. 1561–1565

196 München: St. Michael, Mittelschiff. 1583–1597

chael in München von 1583–1597 nach dem Vorbild des *Gesù in Rom* eine Renaissance-Anlage errichtet (Abb. 196). An den tonnenüberwölbten Saal von über 20 m Breite mit je vier seitlichen Tonnenräumen schließt sich der eingezogene tiefe Chor an. Der Fortfall von echtem Querschiff und Vierungskuppel zeigt, wie fremd man noch

197 London: Jones, Whitehall-Palace, Banqueting House, Westminster. 1619–1622

dem Hauptproblem der Renaissance, dem Zentralbaugedanken, gegenüberstand.

Das gleichzeitig mit dem *Augsburger Rathaus* entstandene *Banqueting House* (1619–1622) *des Whitehall Palace in London* von Inigo Jones (1573–1652) kann als die Einverleibung der Renaissance in England gelten (Abb. 197). Jones ging von Palladio aus, dessen zweigeschossige Fassadenordnung mit betontem Mittelrisalit er übernahm. Es ist ein Bau von klassischer Vollendung entstanden, bei dem Ruhe und Bewegung in harmonischem Gleichgewicht stehen, ein vollkommener Organismus im Sinne der Renaissance. Der hier vollzogene Anschluß an Palladio wurde für die englische Baukunst des 17. und 18. Jh. von großer Bedeutung.

Retabel → Altarretabel.

Retrochor Umgang hinter dem Chorgestühl in der englischen Kathedral-Gotik.

Rhombendach (Helmdach) → Dachformen.

Riefelung Senkrechte oder S-förmige parallele Einkerbungen.

Ringtonne Das ringförmig um einen Zentralraum geführte → Tonnengewölbe des Umgangs (vgl. → Frühchristliche Architektur, Abb. 66).

Rippe Plastische profilierte Steinbögen als tragendes Gerüst für die nichttragenden Gewölbefelder (→ Kappen). Bei der Entstehung Ende des 11. Jh. war die konstruktive Funktion noch nicht erkannt worden und die Rippe als plastische Fortsetzung der Wandgliederung aufgefaßt und mit dem → Ge-

wölbe zusammen verschalt. In der
1. Hälfte des 12. Jh. entdeckte man
die technischen Möglichkeiten des
Rippengerüstes, das nunmehr zuerst errichtet wurde, ehe man an
die Einschalung der Kappen ging.
So wurde die Rippenkonstruktion,
die nicht mehr von einem quadratischen → Grundriß abhängig war,
zu einem der wichtigsten Elemente
für die Entstehung der → Gotik.
In der Spätgotik wurden die Rippen vielfach zur vorgeblendeten
Dekoration ohne Tragefunktion,
die wieder von der Gewölbeschale
übernommen wurde.

Risalit Als Mittelrisalit eine leicht
vorspringende und besonders be-
tonte Gliederung der Fassade, die
von → Giebel oder → Kuppel
bekrönt sein kann. Es können in
symmetrischer Anordnung Seiten-
oder Eckrisalite dazutreten. Vor
allem im → Barock angewendet.

Riß Maßgerechte Projektionen eines Körpers auf eine Ebene.

Rocaille (franz. Muschelwerk)
Asymmetrisches muschel- und wel-
lenförmiges Ornament, das sich
phantasievoll mit vielen Natur-
formen verbinden kann. Im 1.
Drittel des 18. Jh. entstanden,
wurde es namengebend für das
Rokoko (Abb. 198).

Rokoko → Barock.

Rollenfries Aus waagerechten, ge-
geneinander versetzten Zylindern
gebildeter Ornamentstreifen der
→ Romanik (→ Fries).

198 Zwiefalten: Klosterkirche, Blick auf die Nordempore. 1740–1765

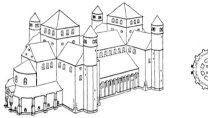 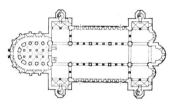

199 Hildesheim: St. Michael. Um 1010–1030. Modell und Grundriß

Rollwerk Ornament mit Bändern, deren Enden sich plastisch aufrollen. Im 16. Jh. in den Niederlanden und Deutschland üblich (→ Beschlagwerk).

Romanik Die Bezeichnung »romanisch« für die frühmittelalterliche Baukunst vom Ende des 10. bis zur 1. Hälfte des 13. Jh. wurde Anfang des 19. Jh. in Frankreich im Anklang an »römisch« erfunden, weil die Verwendung von → Säule, → Pfeiler und → Bögen, vor allem aber die Weiträumigkeit und die großen Gewölbeanlagen als Erbschaft der römischen Antike betrachtet wurden. Nach dem Vorspiel der → Karolingischen Architektur (Karolingische Renaissance) zwischen 750 und 850 setzte nach einem Jahrhundert voller Unruhe zuerst in den ostfränkischen Gebieten unter den ottonischen Kaisern (919–1024) in der 2. Hälfte des 10. Jh. wieder eine reichere Bautätigkeit ein (»Ottonische Kunst«), die stark vom karolingischen Erbe bestimmt war. Nach dem 1. Viertel des 11. Jh. greift vor allem Frankreich entscheidend in die Entwicklung ein. In der 2. Hälfte des 11. Jh. beginnt die Periode der gewölbten Großbauten, die eigentliche Blütezeit der Romanik. Sie dauert bis nach der Mitte des 12. Jh. und wird allmählich von der inzwischen entstandenen → Gotik abgelöst. Nur in Deutschland setzt sich eine Spätblüte der Romanik noch bis in die 1. Hälfte des 13. Jh. fort.

Der Rhythmus der Entwicklung war auf deutschem, französischem, englischem, spanischem und italienischem Boden verschieden. Gemeinsamkeiten stehen Sonderungen gegenüber, die zu weit auseinanderliegenden Lösungen führten, die schwer auf einen Nenner zu bringen sind. Stichproben können die fast unübersehbare Vielfalt von Versuchen, mit denen das Abendland zu einer eigenen monumentalen Bausprache zu gelangen trachtete, nur andeuten. – Die früheste erhaltene ottonische → Basilika ist die Nonnenstiftskirche *St. Cyriakus in Gernrode*, die 961 begonnen wurde. Die dreischiffige Kirche hat → Stützenwechsel und → Emporen, die auch einen westwerkähnlichen Bau umgaben, der später in einen → Chor verwandelt wurde. – Die einheitlichste und wohl vollendetste Anlage aus ottonischer Zeit, die das Erbe karolingischer Tradition besonders deutlich erkennen läßt, wurde *St. Michael in Hildesheim* von 1010 bis 1033 (Abb. 199, 200). Außer → Krypta und Apsiden (→ Apsis) ist alles flachgedeckt. Der aus den Vierungsquadraten (→ Vierung) entwickelte → Grundriß ist klar durchdacht und prägt sich ebenso in der Außenansicht aus. Wie in *Centula* (vgl. → Karolingische Architektur, Abb. 147) nehmen zwei gleichgebildete Baugruppen mit Türmen das basilikale → Langhaus in die Mitte. Vor die Querschiffenden im Innern wurden zweigeschossige Emporen gestellt, so daß sich eine reiche Unterteilung der einfachen Raumkuben ergab, die auch in der Kennzeichnung der drei Mittelschiffquadrate durch → Pfeiler statt → Säulen (Stützenwechsel) zum Ausdruck kam. Wie ein Symbol der Baugesinnung wirken die → Würfelkapitelle.

Die sich seit dem 2. Viertel des 11. Jh. überall steigernde Bautätigkeit zeigte eine Reihe höchst unterschiedlicher Großbauten. Die Nebeneinanderstellung einiger Beispiele verdeutlicht die Großartigkeit der erwachenden Bauphantasie, die sich noch nicht auf eine festgegründete Tradition stützen konnte, sondern jeweils neue Lösungen suchte. – Um 1030–1061 wurde der *Dom zu Speyer* als flachgedeckte → Pfeilerbasilika mit westlicher Eingangshalle, östlichem → Querschiff mit Chor und einer großen kreuzgratgewölbten → Hallenkrypta errichtet (Abb. 201, 202). Die Länge beträgt 133 m, die Breite 31,7 m. Nach einer Planänderung während der Erbauung erhielten die Seitenschiffe →

200   Hildesheim: St. Michael, Mittelschiff (vor der Zerstörung)

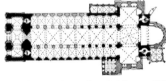

201 Speyer: Dom. Um 1030 beg. – 1061
Ansicht (nach H. Koepf) und Grundriß

den sind, wird die aus karolingischer
Tradition ererbte Gruppierung von
je drei Türmen an beiden Enden
beibehalten. – Gleichzeitig entstand von etwa 1030–1065 *in Köln
St. Maria im Kapitol,* wo zum
erstenmal in großer Ausführung
die aus der → frühchristlichen
Architektur übernommene → Dreikonchenanlage auftritt, die als reiner → Zentralbau mit dem basi-
likalen Langhaus verbunden wird
(vgl. → Dreikonchenanlage, Abb.
52). Seitenschiffe und durchlaufender Umgang wurden kreuzgratgewölbt, alles andere war flachgedeckt. → Hängekuppel der Vierung und → Tonnengewölbe der
Kreuzarme wurden erst um 1200
eingezogen, das Mittelschiff um
1240 gewölbt.

Vielleicht um die Mitte des 11.
Jh. wurde der Neubau von *S.
Marco in Venedig* begonnen, der
nach einer alten Inschrift 1071 voll-

Kreuzgratgewölbe, was im → Mittelschiff die Einfügung von Pfeiler-
vorlagen mit → Halbsäulen bedingte, die sich über den → Obergaden-Fenstern zu Bögen schlossen, wodurch eine neuartige plastische Wandgliederung entstand. Als
gegen Ende des Jahrhunderts auch
Mittelschiff und Querschiff mit
Kreuzgratgewölben versehen wurden, erhielt jeder zweite Pfeiler
neue Vorlagen, so daß die plastische Wandgliederung eine erhebliche Verstärkung und neue Rhyth-
misierung erfuhr. Ebenso wurden
die Außenwände durch → Blend-
arkaden und → Zwerggalerien
plastisch belebt. Obwohl weder →
Westwerk noch Westchor vorhan-

202 Speyer: Dom. Um 1030 beg. Mittelschiff mit »Königschor«

203 Pisa: Busketos, Dom mit Baptisterium und Campanile. 1063–14. Jh.

endet gewesen sein soll (übliche Datierung 1063–1085/94). Im 12. Jh. wurde die Fassade vorgeschoben und die heutige Ausdehnung erreicht (vgl. → Frühchristliche Architektur, Abb. 74, 75). Die Ausstattung mit Marmorverkleidung, Mosaiken und Skulpturen erfolgte in der Hauptsache bis zum 15. Jh. Die Kirche des 11. Jh. muß man sich klarer vorstellen, als einen Ziegelbau mit reicher Verwendung von Nischen, → Blendfenstern und → Lisenen. Als → Kreuzkuppelbau geht sie auf die justinianische *Apostelkirche in Konstantinopel* zurück (→ Frühchristliche Architektur). Die Massigkeit der Pfeiler und Tonnengewölbe verleiht *S. Marco* aber einen Charakter des Festen und Kräftigen, der den Bau trotz frühchristlicher Grundform

als zur abendländischen Romanik gehörend erscheinen läßt. Den einzigen Nachfolgebau im Abendland fand *S. Marco* in der um 1120 begonnenen Kreuzkuppelkirche *Saint-Front in Périgueux.* – 1063 wurde der *Dom zu Pisa* gegründet (Abb. 203). Sein Architekt Busketos plante ihn von vornherein in der heutigen Form; nur die drei westlichen →

204 Santiago de Compostela: Wallfahrtskirche. Um 1075–1128

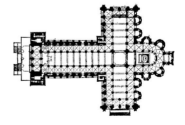

205 Saint-Savin-sur-Gartempe, Langhaus. Um 1095–1115

Joche des Langhauses wurden hinzugefügt. Im 13. Jh. war die Fassade fertig, Ende des 14. Jh. der ganze Bau. Die Anlage verbindet eine fünfschiffige Emporenbasilika mit zwei dreischiffigen Emporenquerarmen, die in Apsiden endigen und wie eigene angesetzte Kirchen wirken. Eine elliptische → Kuppel betont die Verbindungsstelle der drei → Basiliken. Alle Seitenschiffe sind kreuzgratgewölbt, Mittelschiffe und Emporen hatten offene Dachstühle. Als anregend für diese ungewöhnliche Bauphantasie ist auf frühchristliche Beispiele des Ostens hingewiesen worden, auf *Kalat Siman in Syrien,* die *Demetrios-Kirche in Saloniki* (→ Frühchristliche Architektur, Abb. 64, 65) und die *Irene-Kirche in Konstantinopel.*

1063 ist *Saint-Etienne in Nevers* begonnen worden, eine dreischiffige Emporenbasilika mit Tonnengewölbe im Mittelschiff, → Chorum-

gang und radialem → Kapellenkranz, die zu den frühen ganz gewölbten Großbauten der Romanik gehört. Dieser Typus wurde maßgebend für einige ins Großartige gesteigerte westliche Pilgerkirchen wie *Santiago da Compostela* von etwa 1075–1128 (Abb. 204; → Gurtgewölbe, Abb. 113). Die Systematik der Anlage ist vollkommen. Langhaus und Querhausarme sind dreischiffig, alle Seitenschiffe tragen Emporen, die auch um den Chor herumgeführt werden. Die Mittelschiffe sind tonnengewölbt, die Emporen mit Vierteltonnen versehen, die Seitenschiffe kreuzgratgewölbt. Die Emporen sind weder aus Raumbedürfnis noch aus liturgischen Gründen zu erklären, sondern allein aus konstruktiven Notwendigkeiten. Sie dienten mit ihren Vierteltonnen als → Widerlager für die Mitteltonne, deren gewaltiger → Schub und Druck anders nicht hätte aufgefangen werden können. Der Mißstand mangelnder Beleuchtung

206 Cluny: Benediktinerabtei. 1088 beg. Grundriß und Rekonstruktion

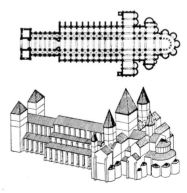

207 Autun: Saint-Lazare. 1116–1132

durch Fehlen der Obergaden-Fenster wurde in Kauf genommen. Die Gliederung der Wände folgt den jetzt allgemein üblichen Prinzipien der Aufspaltung und plastischen Durcharbeitung der Mauermassen. Der kaum bemerkbare Stützenwechsel zeigt das von der quadratischen Vierung ausgehende Maßsystem. – Das Problem der Beleuchtung bei totaler Einwölbung versuchte man in der Schule des Poitou auf eigene Weise zu lösen. In *Saint-Savin-sur-Gartempe* fügte man um 1095–1115 an den zuvor errichteten Chor mit Radialkapellen unter Verzicht auf ein Querschiff das dreischiffige Langhaus an, dessen Mittelschiff auf steilen hohen Säulenarkaden mit einer durchgehenden Tonne gedeckt ist (Abb. 205). Ihr Druck wird dadurch aufgefangen, daß die kreuzgratgewölbten Seitenschiffe bis zum Ansatz des Tonnengewölbes hochgezogen wurden, so daß eine Art von → Hallenkirche entstand. Dadurch fiel von den Seiten her genügend Licht auch in das Mittelschiff. – Eine wiederum andere Lösung von Einwölbung und Beleuchtung wurde *in Burgund* mit dem Neubau von *Cluny III* ab 1088 gefunden (Abb. 206). Schon in dem 981 geweihten Vorgängerbau *(Cluny II)* war der strikte Weggedanke wie in der frühchristlichen Basilika verwirklicht, dazu die Versammlung aller Kapellen im Osten am Querschiff und Chor (Cluniazensische Reform). Das wird jetzt durch die Zufügung eines zweiten kleineren Querschiffs im Osten mit weiteren Kapellen verstärkt. Die nunmehr selbstverständlich gewordene Einwölbung erfolgte durch Spitztonnen auf Gurtbögen. Diese neue Wölbeart hatte durch leichtere Konstruktion und bessere Druckableitung den Vorteil, daß auf Emporen als → Widerlager verzichtet und der durchfensterte → Obergaden beibehalten werden konnte. Von dem Aussehen des Innern kann man sich mit Hilfe der 1116–1132 entstandenen Kathedrale *Saint-Lazare in Autun* eine Vorstellung machen (Abb. 207). Zwischen den spitz-

208   Durham: Kathedrale. 1091–1130

bogigen → Arkaden und der Fensterzone wird die Wand durch ein → Triforium gegliedert. Damit wurden Elemente für die bald entstehende Gotik zur Verfügung gestellt. – Ebenso folgenreich für die Zukunft wurde die normannische Bauschule. *Saint-Etienne in Caen* ist zwischen 1063–1066 begonnen und nach 1077 geweiht worden (vgl. → Empore, Abb. 54). Die dreischiffige Emporenbasilika hatte in den Seitenschiffen Kreuzgratgewölbe, in Emporen und Mittelschiff Flachdecken oder offene Dachstühle. Die Emporen weisen indessen darauf hin, daß man an Einwölbung dachte, sie jedoch zunächst nicht auszuführen wagte, zumal man den durchfensterten Obergaden beibehielt, der in zwei Schalen aufgespalten wurde. Auf Grund von Erfahrungen normannischer Baukunst in England wurden nach 1100 »falsche« sechsteilige Rippengewölbe eingezogen, womit die plastische Aufgliederung des Innern vollendet wurde. – Die ersten derartigen »falschen« Rippengewölbe, Ausgangspunkt für die echten gotischen Rippengewölbe, wurden wahrscheinlich in der 1091 begonnenen *Kathedrale* (Benediktinerabtei) *von Durham* verwendet (Abb. 208). Die Dicke von Mauern, Stützen und allen Gliederungselementen ist außerordentlich stark. Da die Breite des Mittelschiffs nur 9,96 m beträgt, ergibt sich bei einer Gesamtlänge von etwa 145 m ein ungewöhnliches Verhältnis, das typisch für englische Großbauten werden sollte.

Kreuzgratgewölbe mit vorgelegten → Bandrippen erhielt im 1. Viertel des 12. Jh. die dreischiffige querschifflose Emporenbasilika von *S. Ambrogio in Mailand*. Da der

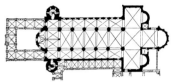

209 Maria Laach: Benediktinerabtei. 1093 – um 1177

Obergaden fehlt, ergeben sich dieselben Beleuchtungsprobleme wie in *Santiago da Compostela*. Die Schwierigkeiten der italienischen Baukunst des 11.–12. Jh., zu einer klaren Systematik der Anlagen zu kommen, zeigen sich an vielen Beispielen von Oberitalien bis Sizilien. Die Turmlosigkeit der Kirchen trug zudem dazu bei, daß auch der Außengestalt eine akzentuierende Gliederung mangelte. Allein die florentinische Sonderent-

210 Maria Laach: Benediktinerabtei, Gesamtansicht von Nordwesten. 1093 – um 1177

211 Köln: St. Aposteln, Dreikonchenanlage von Osten. Um 1200

wicklung der → Protorenaissance
führte zu Gestaltungen von schöner Einheitlichkeit, die die Pro-
bleme der Romanik aber gleichsam umging (vgl. → Baptisterium,
Abb. 13).

Wie sehr sich Deutschland in der
Hoch- und Spätromanik von den
anderen Ländern unterschied, geht
aus dem Beispiel der *Benediktinerabtei Maria Laach* von 1093 bis um
1177 hervor (Abb. 209, 210). Sie
setzt die Doppelchörigkeit mit reicher Turmgruppierung im Osten
und Westen fort. Die Einwölbung
um 1150 mit Kreuzgratgewölben
erfolgte über nichtquadratischen
Feldern. Dieser Versuch einer Be-
freiung vom gebundenen System
hatte in Deutschland zunächst keine
Folgen. Doppelchörig sind auch
die *Dome von Mainz* und *Worms*
(→ Gebundenes System, Abb. 76).
Das Polygon des Westchores von
Worms vom Anfang des 13. Jh. ist
aufs stärkste plastisch durchglie-
dert und stellt einen Höhepunkt

der spätstaufischen Romanik dar,
als gleichzeitig in Frankreich mit
Chartres (→ Gotik, Abb. 80, 81)
bereits die Stufe der klassischen
Kathedralgotik erreicht war. Das
Festhalten Deutschlands an alten
Sonderformen zeigt sich auch an
den rheinischen Dreikonchenan-
lagen. Um 1200 erhielt *St. Aposteln in Köln* den Dreikonchen-
chor, der zu den schönsten Bau-
kompositionen der Romanik gehört (Abb. 211).

Gegen die seit dem 11. Jh. immer aufwendiger werdenden und
vom Schema der frühchristlichen
Basilika abweichenden → Ordenskirchen hatten sich früh Wider-
stände erhoben. Die nach 1000 von
Kloster Cluny ausgehende Reform
lehnte Doppelchörigkeit, Turmreichtum, Einwölbung usw. ab und
hielt an der einfachen Form der
flachgedeckten dreischiffigen Basilika mit Konzentrierung aller Kapellen im Osten fest. In Deutschland wirkte sich diese Reform erst
spät aus und wurde seit dem Ende
des 11. Jh. von der → Hirsauer
Bauschule vertreten. Die asketi-
sche Strenge dieser Architektur
zeigt sich an der *Ruine von Paulinzella* in Thüringen von etwa
1112–1132 (→ Hirsauer Bauschule,
Abb. 115). Die Bauelemente sind
von größter Einfachheit, Plastik
und Malerei durften nicht verwendet werden. Schon vorher war
Cluny III entstanden, das die
Prinzipien der eigenen älteren Reform weitgehend aufgegeben hatte.
Dagegen richtete sich eine neue Re-
formbewegung, die 1098 zur Gründung von Cîteaux führte, das namengebend für den neuen Orden

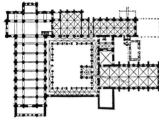

212 Fontenay: Zisterzienserkirche.
1139–1147

der Zisterzienser wurde. 1115 wurde als Musterbeispiel die *Abtei Clairvaux* begonnen und 1139 bis 1147 nach demselben Plan *Fontenay* errichtet (Abb. 212, 213). Die jetzt gestattete Einwölbung erfolgte mit der burgundischen Spitztonne. Alles ist aber von größter Einfachheit, es gab weder plastischen noch malerischen Schmuck, Turmlosigkeit war vorgeschrieben. Den äußersten Gegensatz stellte die *Benediktinerabtei von Maria Laach* dar. In kürzester Zeit verbreiteten sich Zisterziensergründungen über ganz Europa und trugen bald wesentlich zur Verbreitung gotischer Bauformen bei, die in der burgundischen Romanik schon vorbereitet waren (→ Zisterzienserbaukunst).

Zusammenfassend kann festgestellt werden, daß die reiche romanische Entwicklung von Ordenskirchen und Kathedralen getragen wurde. Pfarrkirchen spielten überhaupt keine Rolle, da Städte sich in dieser Zeit gerade erst neu zu formieren und in die Geschichte einzugreifen begannen. Aus diesem Grunde gibt es auch keine nennenswerte Profanarchitektur. Repräsentative monumentale Kommunalbauten begannen vor allem in Italien am Ende der Romanik in Erscheinung zu treten. Ebenso fehlten repräsentative Schloß- oder Palastanlagen von Herrschern und Feudaladel, außer den kaiserlichen → Pfalzen, die in Deutschland nach karolingischer Tradition bis ins 13. Jh. hinein errichtet wurden.

Römische Architektur Im Gegensatz zum griechischen Gliederbau steht der römische Massenbau, ermöglicht durch die Verwendung von starken Mauern, Bögen und Wölbungen (→ Kuppeln, → Tonnen- und → Kreuzgewölbe). Die griechischen Ordnungen werden zumeist dekorativ gebraucht. Material, besonders der betonartige Gußmörtel (→ Füllmauer), und Konstruktion erlauben Großbauten

213 Fontenay: Zisterzienserkirche.
1139–1147

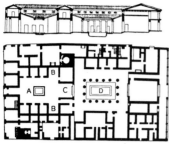

214 Pompeji: Haus des Pansa. 1. Jh. v. Chr.
Grundriß A = Atrium mit Impluvium; B = Flügelräume (Alae); C = Hauptraum; D = Peristylhof; und Aufriß (oben; nach H. Koepf)

mit mächtigen Innenräumen, die in den älteren Kulturen fehlen, ebenso wie bedeutende Ingenieurbauten (Wasserleitungen, → Brükken usw.).

Die Grundlagen für die römische Entwicklung lieferte die → etruskische Architektur, die den Typus des axial ausgerichteten → Podiumtempels mit einer hohen Freitreppe an der Eingangsseite schuf, wie er sich am anschaulichsten in der 16 n. Chr. vollendeten römischen *Maison Carrée zu Nîmes* darstellt (→ Etruskische Architektur, Abb. 56). Mit dieser eindeutigen Gerichtetheit ist von vornherein der Gedanke an eine klare axial-symmetrische Folge von Außen- und Innenräumen verbunden, der sich sowohl im reicheren Privathaus (*Haus des Pansa in Pompeji* aus dem 1. Jh. v. Chr., Abb. 214) als auch in komplexeren öffentlichen Anlagen äußerte (*Heiligtum der Fortuna Primigenia in Praeneste-Palestrina* vom Anfang des 1. Jh. v. Chr., Abb. 215). Auch die Paläste der Kaiserzeit schlossen sich dieser Ordnung an. Der berühmteste war der *Palast der Flavier* auf dem *Palatin zu Rom*

215 Praeneste (Palestrina): Heiligtum der Fortuna Primigenia. Anfang 1. Jh. v. Chr. Rekonstruktion

(Abb. 216). Von Augustus angelegt, fand unter Domitian 81–96 n.Chr. ein Um- und Neubau statt. Die Mitte nimmt der Thronsaal (C) ein, dahinter liegt der von Säulengängen umstellte Hof von 54 m Seitenlänge (D), dem sich die kaiserliche Wohnung mit dem Speisesaal (E) anschließt. In der dreischiffigen → Basilika (B) fanden Gerichtsverhandlungen unter dem Vorsitz des Kaisers statt, der in der erhöhten → Apsis thronte. Von der forensischen Basilika unterscheiden ihn die kleineren Ausmaße und vor allem die Ausrichtung vom Eingang zur Apsis hin. Damit ist eine Form gefunden, die später dem Kirchenbau der christlichen Basilika dienen konnte und die auch jetzt schon gelegentlich für Mysterienkulte verwendet wurde (*Basilica sotteranea in Rom*). – Vollkommene Ordnung wurde ebenso an den *Kaiserfora* durchgeführt, die sich nordöstlich des alten Forum zum *Quirinal* hin anschlossen (Abb. 217). Das bedeu-

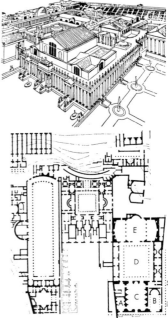

216 Rom: Palast der Flavier. 81–96 n. Chr. Ansicht und Grundriß (nach H. Koepf)

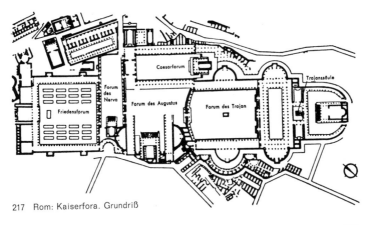

217 Rom: Kaiserfora. Grundriß

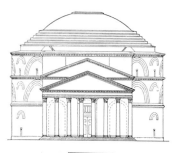

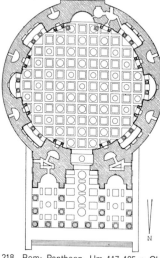

218 Rom: Pantheon. Um 117–125 n. Chr.
Ansicht und Grundriß

tendste wurde das *Trajansforum*
(um 113–117 n. Chr.). Der Eingang führte in einen großen rechteckigen Hof, der von → Säulenhallen umschlossen war und die
Reiterstatue des Kaisers enthielt.
In der Mitte der Langseiten befanden sich zwei halbrunde →
Exedren. Auf den Hof folgte die
quergestellte fünfschiffige und zweigeschossige Basilica Ulpia, deren

Exedren an den Schmalseiten denen
des Hofes entsprachen. Hinter der
Basilica stand die *Trajanssäule*,
von zwei Bibliotheksgebäuden
flankiert. Den Abschluß bildete der
Trajanstempel. Das Forum maß
195:275 m. Der Weggedanke,
verbunden mit monumentaler Gestaltung von Außen- und Innenräumen, hat hier wohl eine der
großartigsten Formulierungen gefunden.

Unmittelbar nach dem *Trajansforum* entstand unter Hadrian um
117–125 n. Chr. das römische
Pantheon (Abb. 218; vgl. → Kuppel, Abb. 160). Der Durchmesser
des zylindrischen Unterbaus beträgt 43,3 m; dasselbe Maß hat die
Höhe bis zur 9 m weiten Öffnung
im Scheitel der halbkreisförmigen
→ Kuppel, deren → Kassetten sich
nach oben verkleinern und die Il-
lusion einer größeren Höhe bewir-
ken. Das 6,2 m dicke → Mauerwerk ist zweischalig und innen
durch rechteckige und halbrunde
Nischen ausgehöhlt. Die Außen-
mauer ist geschlossen gehalten und
war unten mit Marmorplatten,
oben mit → Stuck verkleidet. Im
Pantheon ist Ereignis geworden,
was in keiner der früheren Kulturen gewollt und erreicht worden
war: die Schaffung eines gewaltigen geformten Innenraums. Das
Pantheon neben dem *Parthenon*
(→ Griechische Architektur, Abb.
107) veranschaulicht beispielhaft
die Neuartigkeit der römischen
Baugesinnung gegenüber der griechischen.

Die technisch-konstruktive Meisterschaft der Architekten, besonders in der Erstellung von mächti-

gen Kuppel- und Kreuzgewölben, erwies sich in reichstem Ausmaß an den *Thermen-Anlagen.* Die größten, die eine Fläche von 100 000 m² und mehr bedeckten, stammen aus der späten Kaiserzeit. Die *Caracalla-Thermen in Rom* von 212–223 hatten insgesamt das Ausmaß von 330 : 330 m, die Zentralanlage mißt 220 : 114 m (Abb. 219). Die Abfolge ist vollkommen axial-symmetrisch durchgeführt. Die drei Haupträume der eigentlichen Badeanlage bilden die Mittelachse: → Frigidarium (D) von 17:51 m, → Tepidarium (B) mit drei → Kreuzgewölben von 33 m Höhe und 25 m Spannweite, → Caldarium (C) mit einer Kuppel von 49 m Scheitelhöhe und 35 m Durchmesser. Seitlich befanden sich die Aus- und Ankleideräume (A), Reinigungsbassins, Schwitzbäder, Massageräume, Salbräume usw. – Unter dem Einfluß derartiger Thermenräume wurde die letzte gewaltige Marktbasilika, die nach 307 von Maxentius begonnene und nach 313 von Konstantin vollendete *Konstantinsbasilika in Rom,* eingewölbt. Das Mittelschiff erhielt drei Kreuzge-

wölbe von 25 m Breite und 35 m Höhe, die von je drei quergestellten Tonnen von 24,5 m Höhe abgestützt wurden (Abb. 220). Die acht monolithischen Säulen des Innern, die die Kreuzgewölbe zu tragen schienen, es aber nicht taten, waren ein Rest repräsentativer »griechischer Dekoration«. – Was darunter zu verstehen ist, zeigen die römischen Theater und → Amphitheater, auf deren Außenwände die griechischen → Säulenordnungen appliziert wurden, die damit als reine Verkleidung ihren funktionellen Sinn von → Stütze und Last verloren. Eines der frühesten Beispiele dafür ist das *Marcellus-Theater in Rom* vom Ende des 1. Jh. v. Chr. (Abb. 221). Es zeigt zugleich als frei errichteter Bau den grundsätzlichen Unterschied zum griechischen Theater, dessen Sitzreihen sich in Geländemulden schmiegten (→ Griechische Architektur, Abb. 108, 109). Die römische Konstruktion wurde allein

219 Rom: Caracalla-Thermen. 212–223 n. Chr. Aufriß und Grundriß der Zentralanlage (nach H. Koepf)

220 Rom: Konstantinsbasilika. Nach 307 - nach 313 n. Chr. Rekonstruktionszeichnung (nach Huelsen)

durch die Wölbetechnik ermöglicht, da tonnen- oder kreuzgewölbte Gänge die Sitzreihen zu tragen und dem Verkehr der Zuschauer zu dienen hatten. Dasselbe, Säulenapplikation und Systeme gewölbter Gänge, gilt für die römische Erfindung des Amphitheaters. Das 72–80 n. Chr. errichtete *Colosseum in Rom* läßt den Organismus des Ganzen deutlich erkennen (→ Amphitheater, Abb. 8). – Eine weitere römische Erfindung, für die das Applikationsprinzip griechischer Bauelemente ebenfalls zutrifft, waren die → Triumphbögen, die seit dem 1. Jh. v. Chr. auftauchten. Es sind nahezu 100 Beispiele bekannt. Die dreibogigen Anlagen wie der *Konstantinsbogen* in Rom von 312–315 (Abb. 222) wurden für die → Renaissance seit dem 15. Jh. von großer Bedeutung. – Der Überblick wäre unvollständig, wenn nicht wenigstens mit einem Beispiel auch der reinen Ingenieurbauten gedacht würde: Der *Pont du Gard bei Nîmes* aus dem Anfang des 1. Jh. n. Chr., → Viadukt und → Aquaedukt zugleich, zeigt die bereits früh

errungene technische Meisterschaft. Die römischen Bauten in allen Teilen des römischen Reiches, nicht die griechische Architektur, wurden die Grundlage vielseitiger Entwicklungen der kommenden Jahrhunderte, ihre anregende Kraft bis zum 18. Jh. bewahrend.

Rose Großes Rundfenster mit → Maßwerkfüllung an der Fassade gotischer → Kathedralen (→ Gotik, Abb. 78).

Rosette Kleine runde Dekorationsform mit von der Mitte ausstrahlendem Blatt- oder Blütenornament, u. a. in → Kassetten und an → Friesen verwendet; seit der Antike gebräuchlich.

Rostra (lat. rostrum = Schiffsschnabel) Rednertribüne des römischen → Forums, mit Schiffsschnäbeln feindlicher Schiffe geschmückt.

Rotunde → Zentralbau auf kreisförmigem → Grundriß, meist mit → Kuppel überwölbt.

Rundbogen (Halbkreisbogen) → Bogen mit halbkreisförmiger Wölbung (→ Bogen, Nr. 1 auf Abb. 43).

221 Rom: Marcellus-Theater. Ende 1. Jh. v. Chr.

Rundbogenfries Reihung kleiner Halbkreisbögen, in der → Romanik beliebt (→ Blendarkade).

Rundbogenstil Deutsche historisierende Architektur des 19. Jh., aus frühchristlich-byzantinischen und italienisch-romanischen Formen gemischt (vgl. → Historismus, Abb. 119).

Rundgiebel → Giebel.

Rundpfeiler → Pfeiler.

Rundstab Stabartige Ziersäule der → Romanik und → Gotik von viertel-, halb- oder dreiviertelkreisförmigem Querschnitt.

222 Rom: Konstantinsbogen. 312–315 n. Chr.

Rustika (lat. rusticus = ländlich) → Mauerwerk aus → Quadern, deren Stirnseiten grob behauen sind (→ Bosse).

Saalkirche Einschiffige Kirche meist mittlerer Größe.

Sägedach (Sheddach) → Dachformen.

Sakralbau Jeder kultisch-religiöse Bau im Gegensatz zum → Profanbau.

Sakramentshaus Architektonischer Aufbau auf der Nordseite nahe dem → Altar zur Aufbewahrung der geweihten Hostien. Reichste Ausbildung in der deutschen Spätgotik.

Sakristei Raum neben dem → Chor zur Aufbewahrung von Meßgewändern und liturgischem Gerät.

Sanktuarium (lat. sanctus = heilig) Stätte des Heiligtums, das Allerheiligste; in christlichen Kirchen der Altarraum (→ Chor).

Satteldach (Giebeldach) → Dachformen.

Säule Senkrechtes Stützglied mit kreisförmigem Querschnitt, meist aus → Basis, Schaft und → Kapitell bestehend. Ursprünglich trugen die S. ein → Gebälk, seit der römischen Antike auch eine Mauer über Bögen. – Neben die freistehende S. tritt die Wands. (Dreiviertels., → Halbs.), die bei großer Höhe und geringem Querschnitt als → Dienst bezeichnet wird. Beide kommen auch gebündelt vor (→ Bündelpfeiler). – Die wichtigsten Säulenformen sind die der klassischen Antike (→ Säulenordnungen). Daneben gibt es die ägyptischen Formen der Papyross., Lotoss. (beide

auch gebündelt) und der Palmens.
(→ Ägyptische Architektur, Abb.
2). – Die kretische S. hat einen
nach unten verjüngten glatten
Schaft. Im Mittelalter gibt es ver-
schlungene S., bei denen die Schäf-
te zweier S. umeinander gedreht
sind, die Knotens., bei der zwei
oder vier S. einander in der Mitte
knotenartig verknüpfen, und gedrehte oder gedrechselte S. mit
gewundenem Schaft.

Säulenbasilika Basilika, deren →
Obergaden → Säulen tragen.

Säulenordnungen → dorische, →
ionische, → korinthische, → toskanische und → Kompositordnung
(vgl. → Abakus, Abb. 1).

Säulenportal → Portal, in dessen
abgetreppter → Laibung kleine →
Säulen eingestellt sind, die sich als
→ Archivolten im Portalbogen
fortsetzen können; in der → Romanik üblich.

Säulentrommel Trommelförmige
Teile, aus denen der Schaft einer
nichtmonolithischen → Säulen zusammengesetzt wird.

Schachbrettfries → Würfelfries.

Schaftring (Wirtel) Um einen
Säulenschaft gelegter steinerner
Ring, im 12. und 13. Jh. häufig.

Schalenbauweise Neuzeitliche
sphärische Dachkonstruktionen aus
dünnen Betonschalen, die unge-
wohnte Raumformen ermöglichen.
Das Naturprinzip der Eierschale
liegt zugrunde (Abb. 223).

223 Mexico-City: Candela, Sta. Maria
Miraculosa. 1954

Scheidbogen Der ein Rippengewölbe in der Längsrichtung begren-
zende → Bogen (vgl. → Gewölbe).

Scheitel Höchster Punkt eines →
Bogens oder → Gewölbes.

Scheitelrippe Eine in der Längsachse des Raumes laufende →
Rippe am Gewölbescheitel.

Schichtmauerwerk → Mauerwerk
aus wechselnden streifenförmigen
Schichten von unregelmäßigen und
regelmäßigen Steinen.

Schiff Längsgerichteter rechteckiger Raum. Bei Mehrschiffigkeit von
Kirchen und auch → Profanbauten
werden die einzelnen Schiffe durch
→ Säulen oder → Pfeiler voneinander abgeteilt.

Schildbogen Bogen an der Durch-
dringungsstelle von → Gewölbe
und Wand (→ Scheidbogen).

Schlußstein Letzter Stein im Scheitel eines → Bogens oder Rippengewölbes, oft durch besondere Bearbeitung hervorgehoben.

Schnecke 1. Ornament von spiralförmiger Windung, besonders die → Volute. 2. Bezeichnung der Treppenspindel (→ Spindel).

Schneuß → Fischblase.

Schub Diagonal wirkende Kraft bei → Gewölben, die durch Strebepfeiler und Strebebögen aufgenommen wird (→ Strebewerk).

Schwelle 1. Unteres Querholz beim → Fachwerk. 2. Balken eines hölzernen Rostes unter dem Fundament eines Hauses. 3. Der untere waagerechte Teil der Türeinfassung aus Holz oder Stein.

Schwibbogen Quer über einen Raum gespannter übermauerter → Bogen, der als Raumgliederung oder als Decken- und Dachträger dienen kann.

Secessionsstil Bezeichnung für den → Jugendstil in Österreich, von der 1897 gegründeten Wiener Secession abgeleitet.

Segmentbogen Bogen, dessen Kreisausschnitt kleiner als ein Halbkreis ist (→ Bogen, Nr. 4 auf Abb. 43).

Segmentgiebel → Giebel.

Seicento (ital. 600) In Italien übliche Bezeichnung für die Kunst des 17. Jh.

Seitenschiff Zum → Mittelschiff und → Querschiff parallellaufender Raum, durch → Säulen oder → Pfeiler abgetrennt.

Settecento (ital. 700) In Italien übliche Bezeichnung für die Kunst des 18. Jh.

Sgraffito (Kratzputz) Auf die Wand werden verschiedenfarbige Putzschichten aufgetragen. Durch Abkratzen der oberen werden die jeweils gewünschten unteren Schichten freigelegt, so daß eine verschieden getönte Dekoration entsteht.

Sheddach (Sägedach) → Dachformen.

Sichtbeton (béton brut) Unbearbeitet und unverputzt bleibender → Beton, der je nach Art der Schalung verschiedenartige Oberflächenstrukturen zeigt (→ Brutalismus).

Sima Traufleiste des griechischen → Tempels mit Wasserspeiern.

Skelettbau Bauweise, bei der ein Rahmengerüst die dazwischengespannten Wände trägt. Das Skelett kann sichtbar bleiben, verputzt oder verkleidet werden. In gewissem Sinn kann schon die Hochgotik als Skelettbau bezeichnet werden. Das → Fachwerk gehört dazu, vor allem aber der moderne Stahlbetonbau.

Sockel Am Boden etwas vorspringender Teil eines Gebäudes oder Baugliedes, auch der Unterbau einer Plastik (Postament oder Piedestal).

Sohlbank Meist schräggeneigte untere waagerechte Platte eines Fensters, etwas vorspringend, zur Ableitung des Wassers.

Solarium (lat. Flachdach) → Altan und Söller. Auch besonders gegen Einblick geschützte Sonnenterrassen so bezeichnet.

Söller → Altan.

Sondergotik Deutsche Entwicklung der Spätgotik (→ Gotik).

Sparrendach → Dachkonstruktionen.

Spiegelgalerie Langgestreckter Saal mit spiegelverkleideten Wänden, erstmals in Versailles (1678 ff.). Im 18. Jh. als kleine Spiegelkabinette in zahlreichen Schlössern.

Spiegelgewölbe Eine nur an den Rändern gewölbte Überdeckung, deren mittlerer Teil flach ist; eine im → Barock häufig verwendete Form, die für Freskierung besonders geeignet ist.

Spindel Mittlerer Pfosten einer Wendeltreppe (Spindeltreppe).

224 Le Mans: Kathedrale, Chor. 1217 beg. (nach H. Koepf)

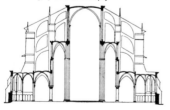

Spitzbogen Aus zwei Kreisen konstruierter → Bogen mit Spitze. Maßgebende Bauform der → Gotik, erstmals in der burgundischen → Romanik auftretend (→ Bogen, Nr. 6 auf Abb. 43).

Spitztonne → Tonnengewölbe mit dem Querschnitt eines → Spitzbogens.

Spolie Wiederverwendeter Teil älterer Bauten (Säulen, Kapitelle u. a.).

Sprengwerk Konstruktion aus Holz, Eisen oder Stahl zur Aufnahme großer Lasten oder zur Überbrückung großer Spannweiten, wobei waagerechte Träger von Streben mit Spannriegel zwischen ihnen gestützt werden.

Stabkirche Nur in Skandinavien seit dem 11. Jh. vorkommende Holzkirche aus senkrechten Planken und Pfosten.

Stabwerk Die senkrechten Pfosten im gotischen → Maßwerk.

Stadion (griech. stadion = Renn- oder Laufbahn) 1. In der Antike langgestreckte Bahn mit einer Kehre und ansteigenden Sitzreihen (→ Circus). 2. In der Moderne aus dem → Amphitheater entwickelte Form.

Staffelbasilika Eine mehr als dreischiffige → Basilika, deren Schiffe zur Mitte hin gestaffelt an Höhe zunehmen (Abb. 224).

Staffelchor → Chor mit mehreren Apsiden (→ Apsis), die sich von den Querschiffarmen bis zum Chorhaupt hin staffeln.

Staffelgiebel (Treppen-, Stufen-giebel) → Giebel.

Stalaktitengewölbe Islamisches Gewölbe mit tropfsteinförmig nach unten hängendem Zierwerk.

Ständerbau → Fachwerk.

225 Stichkappen im Tonnengewölbe

Statik Lehre vom Gleichgewicht der Kräfte (Druck, → Schub, Zug) und der von ihnen hervorgerufe-nen Spannungsverhältnisse, deren konstruktive Bewältigung früher überwiegend durch Erfahrung er-folgte, heute durch wissenschaft-liche Berechnung, Materialprüfung usw. geleistet wird.

Steinmetzzeichen Zeichen oder verschlüsseltes Monogramm des Steinmetzen auf dem von ihm be-arbeiteten Werkstein, entweder zur Abrechnung oder als Gütezeichen angebracht. Schon in der Antike bekannt, allgemein üblich in der → Romanik und → Gotik.

Stele Aufrecht stehende Stein-platte als Grab- oder Weihemal, meist mit → Relief versehen; be-sonders in der griechischen Antike gebräuchlich.

Stereobat Fundamentunterbau des griechischen → Tempels im Ge-gensatz zum → Stylobat.

Sterngewölbe Gewölbe mit stern-förmiger Rippenführung pro → Joch. Spätgotische Form, bei der die → Rippen nicht mehr kon-

struktiv, sondern dekorativ ver-wendet wurden.

Stichkappe Kleines, in ein größe-res → Gewölbe von den Seiten her eindringendes Gewölbe (Abb. 225).

Stift Grundbesitz eines Priester-kollegiums, das nicht klösterlich gebunden ist. Hochstift ist der Be-sitz eines Bistums, Erzstift der eines Erzbistums. Das Wort ist auch auf → Klöster übertragen worden. Fer-ner gibt es evangelische Stifte.

Stiftskirche (Kollegiatskirche) Die Kirche eines → Stiftes.

Stile Liberty → Jugendstil.

Stipes → Altar.

Stirnseite → Bogen.

Stoa Freistehende, langgestreckte → Säulenhalle mit geschlossener Rückwand in der → griechischen Architektur.

Strebebogen → Strebewerk.

Strebepfeiler → Strebewerk.

Strebewerk System von Strebe-pfeilern und Strebebögen in der → Gotik zur Abstützung der Mau-ern und Ableitung des Schubes von Gewölbe- und Dachlast. Die Stre-bepfeiler stehen senkrecht zur Au-ßenwand, können aber auch nach innen gezogen sein, wobei sich → Kapellen zwischen ihnen bilden (vgl. → Gotik, Abb. 93). Bei → Basiliken werden die Strebepfei-ler an den Außenwänden der Sei-tenschiffe über deren Traufhöhe hochgeführt, um die zum → Ober-gaden des → Mittelschiffs hochstei-genden Strebebögen aufzunehmen. Dabei können zwei (auch drei) Strebebögen übereinander angeord-net werden, von denen die un-tere den Gewölbeschub aufnimmt, der obere die Dachlast (vgl. → Staffelbasilika, Abb. 224).

Stucco lustro (Stuckmarmor) → Stuck, der mit heißer Kelle geglät-tet und poliert wird, so daß er wie → Marmor wirkt. Dabei können verschieden gefärbte Stuckmassen verwendet werden. Besonders im → Barock gebräuchlich.

Stuck Schnell erhärtendes Ge-menge aus Gips, Kalk, Sand und Wasser. Wegen seiner leichten Formbarkeit beliebtes Dekorations-material (→ Stukkatur).

Stufengiebel → Giebel.

Stufenportal → Säulenportal.

Stufenpyramide → Pyramide.

Stukkatur Plastische ornamentale und figürliche Dekoration aus →

Stuck, schon im antiken Rom be-kannt, Höhepunkt der Verwen-dung im → Barock.

Sturz Oberer waagerechter Ab-schluß von Tür oder Fenster.

Stütze Jeder tragende Teil eines Bauwerks (Mauer, → Säule, → Pfeiler, Stützbalken usw.).

Stützenwechsel Regelmäßiger Wechsel von → Säulen und → Pfeilern, besonders in der → Ro-manik (Abb. 200).

Stylobat Oberste Stufe des Unter-baus griechischer → Tempel.

Supraporte Gerahmte bemalte oder reliefierte Fläche über einer Tür, mit dieser eine Einheit bil-dend. Besonders im → Barock üb-lich.

Synagoge (griech. Zusammenkunft, Gemeinde; hebr. Knesset) Ur-sprünglich Versammlungs- und Lehrhaus, nicht Tempel oder Kir-che. Daher keine feststehende Form für die S. entwickelt, die sich je dem zeitgenössischen Stil der Um-welt anpassen konnte. Auch für die Hl. Lade mit den Rollen der Hl. Schriften und für das Vorlesepult war kein bestimmter Platz vorge-sehen. Die Frauen sind von den Männern getrennt.

Tabernakel (lat. Hütte) 1. → Bal-dachin, → Ciborium. 2. Gehäuse zur Aufbewahrung von Kelch und Hostien (→ Sakramentshaus). 3. Baldachinartiger Aufbau aus Säu-len und Dach, meist für Statuen.

Tablinum Der zum → Atrium offene Hauptraum des römischen Wohnhauses.

Tafelwerk Wandverkleidung aus Holz, oft bemalt oder reliefiert, seit dem Mittelalter bis zum 18. Jh. besonders in nordischen Ländern.

Tambour → Kuppel.

Tempel Bezeichnung für alle nichtchristlichen Kultbauten. Für die christliche Baukunst wurde nur der T. der griechisch-römischen Antike wichtig, dessen Innenraum (→ Cella) das Götterbild enthielt, aber nur für Priester zugänglich war. Der → Altar für die Opfer der Gläubigen stand außerhalb des T. (→ Tempelformen).

Tempelformen Man unterscheidet folgende Formen des griechischen Tempels (→ Griechische Architektur, Abb. 103): 1. → Antentempel mit → Pronaos, der von den vorgezogenen Seitenwänden und zwei eingestellten Säulen gebildet wird, 2. Doppelantentempel mit Wiederholung der Antenfront an der Rückseite (→ Opisthodom), 3. Prostylos mit giebeltragender Säulenreihe an der Vorderseite, 4. Amphiprostylos mit giebeltragenden Säulenreihen an beiden Schmalseiten, 5. Peripteros mit umlaufender Säulenhalle, 6. Dipteros mit doppelter umlaufender Säulenreihe, 7. Pseudoperipteros mit an den Langseiten vorgeblendeten Säulen, 8. Pseudodipteros mit vorgeblendeter innerer Säulenreihe. – Die Peripteros- und Dipterostempel werden auch nach der Zahl der Frontsäulen benannt: Tetrastylos (viersäulig), Hexastylos (sechss.), Oktastylos (achts.), Dekastylos (zehns.), Dodekastylos (zwölfs.). – 9. Tholos, Rundtempel mit umlaufendem Säulenkranz. – Für die römische Baukunst → Podiumtempel.

Tepidarium (lat. tepidus = lau) Lauwarmes Bad der römischen Thermen (→ Römische Architektur, Abb. 219).

Terrakotta Unglasierte gebrannte Tonerde.

Tetrastylos → Tempelformen.

Thermen (griech. thermos = warm) Große römische Badeanlagen, in deren Zentren sich das → Frigidarium, → Tepidarium und → Caldarium befanden, umgeben von zahlreichen anderen Räumen und Höfen mit → Säulenhallen (→ Römische Architektur, Abb. 219).

Tholos → Tempelformen.

Tonnengewölbe → Gewölbe von halbkreisförmigem Querschnitt.

Torus (lat. Wulst) Die wulstförmigen Glieder der ionischen → Basis (vgl. → Abakus, Abb. 1; → Säulenordnungen).

Toskanische (tuskische) Ordnung Römische Abwandlung der → dorischen Ordnung mit → Basis und meist unkannelierten Schäften.

Träger Waagerechter Konstruktionsteil aus Holz, Stein, Stahl

226 Würzburg: Residenz, Treppenhaus.
1719-1744

oder Stahlbeton, der z. B. Decken trägt und auf zwei oder mehreren Auflagen ruht (→ Über- oder → Unterzug).

Tragstein → Konsole.

Transept → Querschiff.

Traufe An der Langseite des → Daches befindliche Kante zur Ableitung des Regenwassers.

Travée → Joch.

Trecento (ital. 300) Italienische Bezeichnung für die Kunst des 14. Jh.

Treppenhaus Schon in der → Renaissance, besonders aber in barocken Schlössern und → Klöstern entwickelte monumentale Treppenanlagen, die einen eigenen weiten und durch die ganze Höhe des Gebäudes reichenden Raum einnehmen (Abb. 226).

Treppengiebel (Staffel-, Stufengiebel) → Giebel.

Triforium Schmaler Laufgang zwischen → Arkaden und → Obergaden-Fenstern, zum → Mittelschiff in drei- oder mehrfacher Bogenstellung geöffnet. In der → Romanik entwickelt, wurde das T. in der klassischen Kathedralgotik zu einem wichtigen Bestandteil des Wandaufbaus. Bei Fortfall des Laufganges spricht man von Blendtriforium (vgl. → Gotik, Abb. 81).

Triglyphe (griech. dreifache Rille) Die durch drei senkrechte Stege gegliederte Steinplatte zwischen den → Metopen im → Fries der → dorischen Ordnung (→ Abakus, Abb. 1).

Triklinium Speisesaal des römischen Hauses.

Trikonchos → Dreikonchenanlage (→ Konche).

Triumphbogen Freistehender Torbau mit einem oder drei Durchgängen in der → römischen Architektur (Abb. 222). Als architektonisches Motiv in der → Renaissance wieder aufgenommen, als Festdekoration im → Barock verwendet, als selbständiger Monumentalbau im → Klassizismus nachgeahmt. – Der Querbogen zwischen → Mittelschiff und → Vierung oder → Chor mittelalterlicher Kirchen, unter dem auf einem Balken das Triumphkreuz oder die Triumphbogengruppe stehen konnte.

Triumphsäule In der römischen Antike erfundenes freistehendes Ehrenmal in Form einer monumentalen → Säule mit spiralförmig angeordneten Reliefbändern *(Säulen des Marc Aurel* und *Trajan in Rom)*. Nachahmung in kleiner Form bei der *Bernwardssäule in Hildesheim* um 1000 n. Chr., in monumentaler Form mehrfach im → Barock *(Karlskirche in Wien,* → Barock, Abb. 26).

Trompenkuppel → Kuppel.

Tudorbogen Stark gedrückter → Spitzbogen der englischen Spätgotik (→ Tudorstil).

Tudorstil Stil der englischen Spätgotik im 16. Jh. mit → Renaissance-Elementen (Tudorzeit: 1485 bis 1603).

Tuff Baustein aus vulkanischer Asche, porös und gelblich oder grau, in der römischen Antike viel verwendet, aber auch später gebräuchlich, wo Tuff vorhanden war.

Tuskische → Toskanische Ordnung.

Tympanon Das Giebelfeld antiker → Tempel und das Bogenfeld mittelalterlicher → Portale.

Überzug Entlastungsträger über einer Balkenlage oder Decke, die am Ü. hängen.

Umgang → Chorumgang.

Unechtes Gewölbe Ein durch Vorkragen der waagerechten Steinschichten entstandenes → Gewölbe.

Unterzug Stützender Entlastungsträger unter einer Balkenlage oder → Decke.

Vedute Topographisch richtige Wiedergabe einer Landschaft oder Stadtansicht.

Verblendung Verkleidung einer Mauerfläche mit wertvollerem Material (→ Inkrustation).

Verkröpfter Giebel → Giebel.

Verkröpfung Herumführen eines → Gebälkes oder → Gesimses um senkrechte → Wandvorlagen.

Versatzbossen An Steinblöcken stehengelassene Vorsprünge für die Hebetaue beim Versetzen der Blöcke (→ Bosse).

Vestiarium (lat. vestis = Gewand) Umkleideraum der römischen → Thermen (→ Römische Architektur).

Viadukt (lat. via = Weg, ductus = Führung) Bogenbrücke für Straße oder Schienenweg über Tälern (→ Brücke).

Vierung Der Durchdringungsraum von → Lang- und → Querhaus einer Kirche. Ist dieser Teil vom Langhaus oder den Querarmen nicht abgesondert, spricht man von nichtausgeschiedener V., andernfalls von → ausgeschiedener V. Über der V. kann sich ein Vierungsturm oder eine Vierungskuppel erheben.

Viktorianischer Stil Nach der Königin Viktoria benannte englische Form des → Historismus von ca. 1840–1900.

Volute Schnecken- oder spiralförmig eingerollte Form am ionischen → Kapitell (vgl. → Abakus, Abb. 1; → Säulenordnungen). In → Renaissance und → Barock häufig an → Konsolen und → Giebeln (→ Barock, Abb. 15).

Vorhangbogen Nach unten durchhängender Bogen.

Vorhangfassade → Curtain Wall.

Vorlage → Wandvorlage.

Votivkapelle, -kirche (lat. votum = Gelübde) Aufgrund eines Gelübdes gestiftete Kapelle oder Kirche.

Walmdach → Dachformen.

Wandelaltar → Altarretabel (→ Altar).

Wandpfeilerkirche Einschiffige Kirche mit nach innen gezogenen → Strebepfeilern, zwischen denen → Kapellen liegen.

Wandvorlage Verstärkung oder Gliederung einer Mauer durch vorgelegte → Pfeiler, → Pilaster, → Lisenen, → Dienste, → Halbsäulen, → Blendbögen usw.

Wange Seitenstücke von Gestühl, Treppe, → Kamin u. a., oft reich dekoriert.

Wasserburg Meist in der Ebene liegende, von Wasser oder Wassergraben umgebene → Burg.

Wasserspeier Schräg abwärts gerichtete vorkragende Rinnen, die in der → Gotik reiche figürliche Ausgestaltung erfuhren. Sie verschwanden nach der Einführung des Regenfallrohres im → Barock.

Wehrgang Verteidigungsgang von Stadt- und Burgmauern, der nach außen geschützt und mit Schießscharten versehen war.

Wehrkirche Befestigte Kirche, die der Gemeinde als Zuflucht diente; häufig in Siebenbürgen (Rumänien).

Welsche Haube (Zwiebeldach) → Dachformen.

Wendelstein Dem Bau vorgelagerter Treppenturm mit einer Wendeltreppe im Innern, in der deutschen und französischen → Renaissance beliebt.

Westwerk → Zentralbau als selbständige Anlage vor einer → Basilika mit niedriger Durchgangshalle zur Kirche und einem oberen, von → Emporen flankierten Raum, der zum → Mittelschiff hin geöffnet war. Dieser Raum war meist dem hl. Michael geweiht und diente wahrscheinlich als Eigenkirche des Kaisers. Nach außen wirkt das Westwerk wie ein turmartiger Querbau, der oft von seitlichen Treppentürmen begleitet war. In karolingischer Zeit erfunden, hielt sich diese Form in Deutschland bis ins 11. Jh. Fehlt bei verwandten monumentalen westlichen Anlagen romanischer Kirchen der innere Raumschacht mit der → Kapelle, spricht man von Westbau (vgl. → Karolingische Architektur, Abb. 147).

Widerlager Festes → Mauerwerk, das dem Seitenschub von → Gewölben oder Stützmauern entgegenwirkt.

Wilhelminischer Stil Nach Kaiser Wilhelm II. benannter Stil der deutschen Baukunst vom Ende des 19. Jh. (→ Historismus).

Wimperg Giebelartige, mit → Maßwerk verzierte Bekrönung gotischer → Portale und Fenster.

Wirtel → Schaftring.

Wolkenkratzer (skyscraper) → Hochhaus.

Würfelfries (Schachbrettfries) Ein mit erhabenen und vertieften Würfeln schachbrettartig gebildeter → Fries der → Romanik.

Würfelkapitell → Kapitell (vgl. auch → Abakus, Abb. 1).

Zahnschnittfries Aus rechteckigen, regelmäßig vorspringenden Steinschnitten gebildeter Gebälkabschluß der → ionischen Ordnung (→ Abakus, Abb. 1; → Fries).

Zellengewölbe Spätgotisches → Gewölbe mit tief zwischen den → Graten eingeschnittenen Flächen, vom 15.–16. Jh. vorzüglich in Sachsen und Böhmen verwendet.

Zeltdach (Pyramidendach) → Dachformen.

Zement Baustoff, der durch Brennen und anschließende Pulverisierung eines Gemisches von Kalkstein und Ton entsteht, dem Sand und Wasser zugefügt werden (Zementmörtel). Durch Zusatz von Kies oder Schotter entsteht → Beton.

Zentralbau Ein Bauwerk, dessen Hauptachsen gleich lang sind. Der → Grundriß kann Kreis, Quadrat, regelmäßiges Vieleck, → griechisches Kreuz sein. Erste Höhepunkte in der → römischen und → frühchristlich-→ byzantinischen Architektur, dann in → Renaissance und → Barock.

Ziborium → Ciborium.

Zickzackfries → Deutsches Band (→ Fries).

Zinne Der obere Abschluß von Wehrmauern und Bauten mit Mauerzacken, zwischen denen ein Einschnitt (Scharte) liegt.

Zirkus → Circus.

Zisterne Meist unterirdische Anlage zur Sammlung von Regenwasser, am berühmtesten die *Zisterne von Konstantinopel* (Istanbul).

Zisterzienserbaukunst Der Zister-
zienserorden, nach dem Gründungs-
kloster Cîteaux in Burgund benannt, entstand 1098 und richtete
sich gegen die Verweltlichung des
Klosterlebens. Er fand schnelle
Verbreitung und ließ sich vor allem in unkultivierten Gebieten nie-
der, wo er hervorragende Leistungen in Urbarmachung und Acker-
bau vollbrachte. Für die Klosterkirchen gab es strenge Regeln: keine Türme, nur ein kleiner Dachreiter, meist flache Deckung des
Langhauses, rechteckige → Chöre
und → Kapellen an den Ostseiten
der Querarme, äußerste Schmuck-
losigkeit, aber vorzügliche Bau-
technik. Nach der Mitte des 12. Jh.
wurden diese Vorschriften nicht
mehr vollständig eingehalten (vgl.
→ Romanik, Abb. 212, 213).

Zither Aus Stein errichtete Schatz-
kammer von Kirchen zur Aufbewahrung von Kirchenschätzen und
Archiven.

Zopfstil Übergang vom Spätbarock oder Rokoko zum → Klassizismus in der 2. Hälfte des 18. Jh.,
entspricht dem französischen →
Louis-seize.

Zwerchhaus → Lukarne.

Zwerggalerie Ein unter dem
Dachansatz herumgeführter niedriger Laufgang, der sich in kleinen
Säulenarkaden öffnet, ohne konstruktive Bedeutung und seit dem
11. Jh. in der romanischen Baukunst Oberitaliens und Westdeutsch-
lands üblich (→ Romanik, Abb.
211).

Zwickel Wandfläche zwischen
zwei → Bögen einer → Arkade
und die dreieckige gekrümmte Fläche, die zwischen den Bögen eines
quadratischen Unterbaus zum
Kreisrund einer → Kuppel über-
leitet (Gewölbezwickel) (→ Pendentifkuppel; → Renaissance, Abb.
175).

Zwiebeldach (Welsche Haube) →
Dachformen.

Zwinger Gelände zwischen Vor-
und Hauptmauer einer Burg oder
Stadtbefestigung, oft zur Haltung
von Tieren benutzt (Bärenz.), im
→ Barock gelegentlich für Vergnü-
gungen eingerichtet (*Dresdner
Zwinger*, → Barock, Abb. 36).

Zyklopenmauer Mauerwerk aus
großen, unregelmäßigen Steinblök-
ken, die aber dicht gefügt sind.

Namenverzeichnis

Fotonachweis

Athen, Nikos Kontos   Abb. 65
Berlin (West), Landesbildstelle
Abb. 48, 102, 119, 152
Lindau (Bodensee), Toni Schneiders
Abb. 92

Paris, Service Photographique
Abb. 10

Alle übrigen Bildvorlagen: Köln,
Archiv DuMont Buchverlag

DuMont Kunst-Taschenbücher

»Die Reihe ist aktuell und vielseitig und bietet eine Fülle von farbigen und einfarbigen Abbildungen. Inhaltlich stehen Information und Dokumentation im Vordergrund. Aktualität auch bei kunsthistorisch weiter zurückliegenden Komplexen.«
Stuttgarter Nachrichten

DuMont Kunst-Taschenbücher

DuMont Kunst-Taschenbücher

DuMont Kunst-Taschenbücher

DuMont Kunst-Taschenbücher

»Eine Reihe mit ausgezeichneten Texten und durchweg sehr guten Bild-
wiedergaben.«   *Westfälische Allgemeine*

»Die DuMont Kunst-Taschenführer erfüllen eine wichtige Aufgabe: sie
informieren detailliert und sachkundig über bedeutende Künstler, über
Teilaspekte in deren Schaffen und stellen Kunstphasen und Entwicklungen in Vergangenheit und Gegenwart deutlich heraus.«
                                                          Münstersche Zeitung

Ihr Buchhändler informiert Sie gern über weitere Neuerscheinungen.

Von Fritz Baumgart, dem Autor des vorliegenden Buches, erschienen bereits in unserem Verlag:

Stilgeschichte der Architektur

299 S. mit 311 einf. Abb. u. 191 Zeichnungen u. Grundrissen, Namen- u. Ortsverzeichnis

»Fritz Baumgart hat mit diesem Buch ein geradezu ideales Nachschlagewerk geschaffen, das die gesamte Baugeschichte in Text sowie Fotos, Grundrissen und Zeichnungen so übersichtlich gliedert, daß auch Laien von diesem Kompendium profitieren.« *Der Tagesspiegel, Berlin*

DuMont's Kleine Kunstgeschichte

357 S. mit 32 Farbtafeln, 417 einf. Abb. und Zeichnungen, Namen- und Ortsverzeichnis

Renaissance und Kunst des Manierismus

232 S. mit 73 einf. Abb. und 1 Zeittafel, Bibliographie, Register

Vom Klassizismus zur Romantik 1750–1832

Die Malerei im Jahrhundert der Aufklärung, Revolution und Restauration 246 S. mit 16 Farbtafeln und 148 einf. Abb., Namenverzeichnis

»Der Autor hat in diesem Buch ein lebendiges und überraschendes Bild von der Malerei des ausgehenden 18. und beginnenden 19. Jahrhunderts gezeichnet. Der umfangreiche Stoff ist außergewöhnlich klar gegliedert. Die Ausführungen werden durch klug ausgewählte Abbildungen erhellt. Ein Buch, das neue Ideen und viele fruchtbare Perspektiven bringt.« *Die Kunst, München*

Idealismus und Realismus 1830–1880

Die Malerei der bürgerlichen Gesellschaft 239 S. mit 17 farb. u. 160 einf. Abb., Namenverzeichnis

»Blumen-Brueghel«

Leben und Werk Etwa 192 S. mit etwa 24 farb. u. etwa 74 einf. Abb., Literaturhinweise, Zeittafel, Namenverzeichnis (DuMont Kunst-Taschenbücher, Bd. 67)

Ober-Italien

Kunst, Kultur und Landschaft zwischen den Oberitalienischen Seen und der Adria 288 S. mit 12 farb. und 228 einf. Abb., 24 Zeichnungen, Karten und Plänen, Register (DuMont Kunst-Reiseführer)